La collection
ROMANICHELS POCHE
est dirigée par
André Vanasse

D0532567

Dans la même collection

Aude, *Cet imperceptible mouvement*.

Aude, *La chaise au fond de l'œil*.

Aude, *L'enfant migrateur*.

Brigitte Caron, *La fin de siècle comme si vous y étiez (moi, j'y étais)*.

Claire Dé, *Le désir comme catastrophe naturelle*.

Louise Dupré, *La memoria*.

Louis Hamelin, *La rage*.

Louis Hamelin, *Cowboy*.

Louis-Philippe Hébert, *La manufacture de machines*.

Sergio Kokis, *Le pavillon des miroirs*.

Micheline La France, *Le visage d'Antoine Rivière*.

Christian Mistral, *Sylvia au bout du rouleau ivre*.

Christian Mistral, *Vautour*.

Daniel Pigeon, *La proie des autres*.

Hélène Rioux, *Chambre avec baignoire*.

Régine Robin, *L'immense fatigue des pierres*.

Régine Robin, *La Québécoite*.

Adrien Thério, *Conteurs canadiens-français (1936-1967)*.

Pierre Tourangeau, *Larry Volt*.

France Vézina, *Osther, le chat criblé d'étoiles*.

La Grande Langue

Du même auteur

Privilèges de l'ombre, poèmes, Montréal, l'Hexagone, 1961.

Nouvelles (en collaboration avec Jacques Brault et André Major), Montréal, Cahiers de l'AGEUM, 1963.

Délit contre délit, poèmes, Montréal, Presses de l'AGEUM, 1965.

Adéodat I, roman, Montréal, Éditions du Jour, 1973.

Hugo : Amour/crime/révolution, essai sur *Les misérables*, Montréal, Presses de l'Université de Montréal, 1974. Réédition : Québec, Nota bene, 1999.

L'instance critique, essais, Montréal, Leméac, 1974.

La littérature et le reste, essai (en collaboration avec Gilles Marcotte), Montréal, Quinze, 1980.

L'évasion tragique, essai sur les romans d'André Langevin, Montréal, Hurtubise HMH, 1985.

La visée critique, essais, Montréal, Boréal, 1988.

Les matins nus, le vent, poèmes, Laval, Trois, 1989.

Dans les chances de l'air, poèmes, Montréal, l'Hexagone, 1990.

Particulièrement la vie change, poèmes, Saint-Lambert, le Noroît, 1990.

La croix du Nord, novella, Montréal, XYZ éditeur, 1991.

L'esprit ailleurs, nouvelles, Montréal, XYZ éditeur, 1992.

Le singulier pluriel, essais, Montréal, l'Hexagone, 1992.

La vie aux trousses, roman, Montréal, XYZ éditeur, 1993.

La Grande Langue, éloge de l'anglais, essai-fiction, Montréal, XYZ éditeur, 1993.

Delà, poèmes, Montréal, l'Hexagone, 1994.

Tableau du poème. La poésie québécoise des années quatre-vingt, essai, Montréal, XYZ éditeur, 1994.

Fièvres blanches, novella, Montréal, XYZ éditeur, 1994.

Roman et énumération. De Flaubert à Perec, essai, Montréal, Études françaises, coll. « Paragraphes », Université de Montréal, 1996.

Adèle intime, roman, Montréal, XYZ éditeur, 1996.

Les Épervières, roman, Montréal, XYZ éditeur, 1996.

Le maître rêveur, roman, Montréal, XYZ éditeur, 1997.

Une étude de « Bonheur d'occasion » de Gabrielle Roy, essai, Montréal, Boréal, 1998.

L'inconcevable, poèmes, Laval, Trois, 1998.

Saint-Denys Garneau. Le poète en sursis, récit biographique, Montréal, XYZ éditeur, coll. « Les grandes figures », 1999.

Anne Hébert. Le secret de vie et de mort, essai, Ottawa, Presses de l'Université d'Ottawa, 2000.

Matamore premier, roman-farce, Montréal, XYZ éditeur, 2000.

Je t'aime, je t'écris, poèmes, Montréal, Québec Amérique, coll. « Mains libres », 2001.

André Brochu

La Grande Langue

Éloge de l'anglais

essai-fiction

La publication de cet ouvrage a été rendue possible grâce à l'aide financière du ministère du Patrimoine canadien par l'entremise du Programme d'aide au développement de l'industrie à l'édition (PADIÉ), du Conseil des Arts du Canada (CAC), du ministère de la Culture et des Communications du Québec (MCCQ) et de la Société de développement des entreprises culturelles (SODEC).

© 2002
XYZ éditeur
1781, rue Saint-Hubert
Montréal (Québec)
H2L 3Z1
Téléphone : 514.525.21.70
Télécopieur : 514.525.75.37
Courriel : xyzed@mlink.net
Site Internet : www.xyzedit.com

et

André Brochu

Dépôt légal : 1er trimestre 2002
Bibliothèque nationale du Canada
Bibliothèque nationale du Québec
ISBN 2-89261-334-5

Distribution en librairie :
Au Canada :   En Europe :
Dimedia inc.   D.E.Q.
539, boulevard Lebeau   30, rue Gay-Lussac
Ville Saint-Laurent (Québec)   75005 Paris, France
H4N 1S2   Téléphone : 1.43.54.49.02
Téléphone : 514.336.39.41   Télécopieur : 1.43.54.39.15
Télécopieur : 514.331.39.16   Courriel : liquebec@noos.fr
Courriel : general@dimedia.qc.ca

Conception typographique et montage : Édiscript enr.
Maquette de la couverture : Zirval Design
Illustration de la couverture : *Les pèlerins, échappant au gouffre stomachal, se mettent en franchise à l'orée des dents*, chapitre 38, illustration de Gustave Doré pour les *Œuvres* de Rabelais, 1873

Avertissement

Nous prévenons le lecteur que ce petit ouvrage contient d'abord une trentaine de pages de spéculation hautement philosophique, où le mot *être* – cet irritant – n'est pas épargné; et qu'il présente ensuite des pages beaucoup plus accueillantes, au cours desquelles la fiction déverse à longs flots ses imaginations enchanteresses.

Aussi est-il conseillé au lecteur d'aujourd'hui, formé par la télévision, de se porter d'emblée au milieu du chapitre 3. Une fois sa lecture terminée, il pourra revenir aux pages du début et s'attaquer, comme dirait Rabelais, à l'os qui contient la substantifique moelle.

Le danger de cette méthode, c'est de perdre le fil du raisonnement; mais on ne fait pas d'omelette sans casser des œufs. Non plus, ajouterai-je, qu'on ne devient Homme sans perdre son français!

A. B.

1

Cela a commencé bien avant que la loi ne soit adoptée. Dans les vitrines, les mots du cœur étaient réapparus. Ces mots, c'étaient ceux de la Grande Langue, la seule qui mérite de présider à l'apocalypse ou, en tout cas, aux grandes terreurs millénaristes. Pendant des années, mystifiés par le sentiment de leur incompétence, les hommes du pays l'avaient proscrite, reléguée dans leur cœur où elle régnait sans partage, et voici qu'on lui reconnaissait, grâce à de puissantes coalitions d'intérêts nationaux et internationaux, tous les droits de reparaître et de poursuivre son combat séculaire contre la langue vernaculaire. L'anglais redevenait la langue de tous les Québécois, en attendant de triompher non seulement dans leur cœur, mais dans leurs gènes et dans tous les recès de leur âme.

Les vitrines, condamnées depuis tant de mortelles années aux dérisoires gribouillages français, refleurissaient. Les mots vrais, ceux qui identifient

la réalité avec la précision d'un miroir dans un
étroit face à face, venaient de nouveau chercher
l'œil et instiller aux cervelles indigènes leur chant
souverain. L'être, on le sait — et quand je parle de
l'être, je ne désigne pas le commun dénominateur
de nos faibles prétentions à exister, mais la totalité
de ce qui est, telle que réfléchie en chaque chose
qui est — l'être, dis-je, parle anglais. Il parle argent,
réalisme, droits individuels, soumission. Il corrige
les bavures de l'Histoire, renvoie aux limbes de la
mauvaise conscience les populations restées atta-
chées à leurs traditions distinctes. De toute façon,
dit la Grande Langue, tout passe. Pourquoi persis-
ter dans le mirage de l'individualité culturelle,
nationale ? Le siècle va, vient, et moi seule, dit la
Grande Langue, puis assurer aux humains de ce
temps une juste participation aux efforts de l'Esprit
pour dominer la matière en perpétuel déséquilibre.

Je parle anglais ! Je parle anglais ! De jeunes
cervelles élevées dans l'univers concentrationnaire
de l'affichage français, lequel fut si magnani-
mement dénoncé par le Comité des droits de
l'homme de l'O.N.U., subirent le choc merveilleux
des consonances et des parentés sémantiques
qu'elles portaient au fond d'elles-mêmes, en
l'ignorant. Car l'anglais a toujours eu, pour le
Québécois, la place de choix, grâce au cinéma, à la
chanson, à la télévision ; mais voilà que l'anglais
cesse d'être seulement une voix (surmaternelle)
pour devenir aussi l'objet du regard : le réel (pater-
nel). L'anglais domine. Il est père. Il occupe maintenant les deux champs majeurs du cerveau,

l'intime et le public. On le voit, on l'entend. La défaite du français est désormais assurée. Dans vingt ans, trente ans au plus, on rira de ce long passé francophone (même pas) qui s'est donné des prétentions à l'autonomie. On rira du joual – de l'impossibilité, inscrite dès l'origine dans les virtualités du peuple, de vivre français. Francophone. Gaulois !

Ah ! peuple impudent ! Pourquoi, en pleine Amérique, avoir persisté dans ta minable vocation ? L'Histoire ne reconnaît pas les nostalgies imbéciles. Qui plus est, peuple insensé, tu as brimé ta glorieuse minorité anglophone et allophone en l'obligeant à t'exploiter en français. Il convient donc que tu lui présentes des excuses. A-t-on idée d'une tyrannie semblable à la tienne ? Depuis la plus haute antiquité, un peuple s'est-il jamais comporté aussi cavalièrement avec ses maîtres ? Et d'abord, il faut cesser de te concevoir comme un peuple. Cette notion est dépassée, du moins en ce qui te concerne. Le nationalisme des minorités est rétrograde et mène droit au fascisme. Québécois (francophone), tu devrais avoir honte de ton passé. On t'enseignait la patrie, qui n'existe pas. La honte est la seule véritable patrie d'un amas de tarés baragouinant leur français de marécage. Pourquoi pas l'anglais ? C'est une langue sportive, universelle. Elle est la meilleure garantie contre le narcissisme national. Il faut en finir avec l'identité. Il faut être autre, parler autre.

Dans tes vitrines, vois s'étaler le langage des autres. Aime et respecte cela qui te nie, car il est bon d'être nié. Rien de ce qui t'écrase ne t'est étranger. L'humain fleurit sur tes décombres, comme leur raison d'être. Tu péris, c'est bien. De ton agonie naît l'aurore. Rien n'est semblable à autrefois. Tu as raison de disparaître. Tes chefs sont contents de ta noble résignation et s'apprêtent à faire leur soumission officielle en ton nom. Depuis longtemps déjà, ils préparent le sacrifice. Ils affilent les longues lames, risquent leurs pouces sur les tranchants aigus. Dans leur âme, ils parlent la Grande Langue et s'appliquent à éliminer tout vestige de la maudite langue natale, la langue de leur mère naturelle. La langue aux parfums de ventre et de lait.

L'anglais, lui, n'a pas de chair. Il est né sur un écran d'ordinateur et il file, à la vitesse de la lumière, ses réseaux de mots légers, à la sémantique facile. En anglais, on peut dire tout ce qui va de soi, et le miracle lui-même a des allures d'évidence. Le réel bourre les moindres mots, en fait des détonateurs privilégiés dans le champ de l'action. Un anglophone plein de jambes marche dans l'avoine des mots avec une souriante assurance. Il est sûr du sol qu'il foule, des corps qu'il piétine. Ses pieds font éclater les organes indigènes avec des bruits joyeux. Parachuté sur la Terre, comme tout un chacun, l'anglophone ne souffre pas à la façon des autres hommes de son essentielle précarité. La langue qu'il parle le sauve des silences, des replis sur soi. Sa langue est une affiche, elle montre bien ce qu'il en est de l'Homme. L'Homme parle la Grande Langue, ne s'égare pas dans les escaliers de

Babel. Tout ce qu'il dit va droit au but. Entre l'anglophone qui parle et celui qui l'écoute, le son voyage
comme une flèche, et le ciel, au-dessus, brille d'un
éclat particulier. Car le ciel se confirme et se
conforte de toute parole sortie de la bouche de
l'Homme. Du reste, je ne parlerai plus de l'anglophone, mais de l'Homme ; ni de l'anglais, mais de la
Langue. La Langue est au français ce que la puissance est au désespoir.

Le jour où je vis réapparaître la Langue dans
nos vitrines, sur nos murs, partout, je reconnus
qu'elle était présente dans tous les coins de mon
cœur, qu'elle me bourrait comme la poudre gorge
la grenade, et j'explosai d'une joie absolue, prêt à
baiser les mains du ministre québécois res-
ponsable du dossier linguistique, qui m'avait rendu
à moi-même. Chaque Homme qui passait dans les
rues, chaque Femme, sur les lèvres desquels
fleurissait le divin idiome, m'inspiraient des pen-
sers amoureux. Je chérissais, entre tous, ceux de
mes compagnons qui étaient malencontreusement
nés et avaient été élevés dans le patois du pays et
qui, maintenant, osaient s'exprimer dans la
Langue, avec un accent émouvant. Quelques-uns,
ludiquement, passaient à chaque phrase d'un code
à l'autre, comme on sauterait du style bas au style
élevé, et leur bilinguisme jubilatoire se résolvait en
harmoniques parfaites. Le point d'orgue de leur
discours résonnait en direction de Toronto, New
York et Washington.

Quand donc le Québec se fondra-t-il dans la
masse des Hommes ? Quand se défera-t-il d'une

identité qui, à tout autre peuple, n'inspirerait que
la honte et le goût du suicide ? L'an Deux Mille
approche ; le moment n'est-il pas venu d'abdiquer
d'infâmes privilèges, d'ouvrir grand ses bras à la
terre entière, de faire sa soumission aux Hommes
qui, quoi qu'il en soit, nous gouvernent et, jusqu'à
l'os, nous pétrissent de leurs poings d'acier ?
Entendez l'Histoire : elle halète, rugit doucement,
jouit de sa victoire. L'Histoire n'a pas de pitié pour
les moitiés d'humains qui bredouillent des mots de
malchance et de pus. Elle attend de nous que nous
mourions à nous-mêmes, à notre passé, et que
nous ressuscitions totalement voués à la Grande
Langue et acquis aux Hommes qui la parlent. Telle
est l'Histoire : sévère, mais juste. Une mère ne
serait pas plus généreuse, car il y va de l'avenir et
du profit qu'on en peut escompter dès maintenant.
Une mère veille au confort spirituel et matériel de
son enfant. L'Histoire, aux grandes mamelles
invisibles (mais quel maintien !), nous garantit la
douce jouissance de vivre, pour peu que nous
capitulions. Elle exige simplement l'éradication de
nos rêves, de quelques mots maladroits, de fidélités
absurdes, et la conversion au réel. Car c'est dans le
réel que les parties se gagnent, et la seule partie
qui nous importe, c'est justement celle que nous
jouons contre les mots, vecteurs du rêve. Au terme
de nos bredouillements, exténués, rendus, nous
éclaterons en proférations triomphantes, *parlés* de
part en part par la Grande Langue qui mettra les
phonèmes dans notre bouche, nous rendra sem-
blables à des Hommes et à des Femmes pleins de

sexe et de raison. J'ai vu, sur le petit écran d'une chambre d'hôtel, de superbes spécimens, complètement beaux, de jeunes gens parlant entre eux la Langue et la pratiquant sous un soleil d'une ingénue générosité. J'ai vu le principal attribut de l'Homme honorer diverses cavités du corps de la Femme et soutenir en elles de longues conversations qui rendaient toutes hommage à la puissance de l'Humain, du réel et de la Grande Langue. En même temps, il m'était évident que le Québec n'existait pas, ou ne devait plus exister. Il devait plutôt se fondre dans ces jeux de la nature (humaine) et disparaître. Le Québec est une tache dans le monde ensoleillé où les plus divines beautés font assaut de présence, confrontent leurs miraculeuses hanches dont la seule vue fait trembler le jour. Vertige! Vertige! Le tout jeune homme véritablement ange, à la longue chevelure bouclée, blond partout, quelle hostie présente-t-il à la bouche qui s'applique, à quelques centimètres au-dessus de seins pareils à des vaisseaux de l'espace, oblongues masses sans pesanteur dont l'orient pointe en un mixte de capsule et de rose! Tels sont l'Homme et la Femme, nés sous l'aile de la Langue (la seule) et pleins d'elle, car elle est la grâce et elle absout – l'indécence est plutôt dans le regard habillé de qui refuse l'assimilation à l'ordre de la Beauté.

M'égaré-je? Il me semble impossible d'aborder la grande question du destin des peuples sans faire référence au tuf de nos désirs enfin dévoilés, dans cette fin de millénaire qui aura connu toute la gamme des sublimations et des infamies. Aujourd'hui, grâce aux médias qui violentent les vies privées, nos intériorités sont exposées sans recours aux regards. Nous habitons une immense et unique maison de verre et nous vivons, privés de tout vêtement, dans un même air tempéré et filtré, parfumé de nos respirations. L'odeur du fond de nos poumons, mêlée à des bouffées d'idiome indigène ou de Langue, circule dans tout l'édifice, conjuguant nos pensées à la pensée du monde. En telle conjoncture, la moindre étincelle de désir dans une complexion particulière devient un fait public et passible de jugement, en tout cas de commentaire. La nudité généralisée, qui est l'un des plus précieux bienfaits de la civilisation moderne, reste un acquis fragile et peut être remise en question par la moindre dérogation au principe, si difficilement établi, de la sagesse réflexe. Ce principe interdit toute manifestation de spontanéité charnelle. Celui qui veut éprouver une sensation d'ordre érotique doit d'abord insérer sa carte magnétique dans la fente appropriée de son ordinateur-téléviseur-téléphone, se mettre en rapport avec le service des Copulations et Fantaisies, préciser le format de l'extase et faire débiter son compte en banque en conséquence – tout cela dans la Langue de l'Homme. L'abolition de la loi québécoise sur la langue d'affichage, on le voit, était devenue une nécessité de toute première importance car la Langue seule donne accès à la satisfaction des besoins les plus intimes, et le service interprovincial des Mictions et Défécations, géré par le gouvernement fédéral depuis un jugement célèbre de la Cour suprême, ne pouvait fonctionner en toute efficacité sans le renoncement du Québec à la clause Nonobstant touchant le droit de soulagement dans la langue de son choix. Ah! Permettre aux flots et flux du corps le libre épanchement dans la Langue universelle, celle des besoins, des droits fondamentaux, du réel, n'était-ce pas porter un coup décisif aux puissances rétrogrades de la culture, qui auraient voulu sauvegarder le passé au détriment des dispositions pratiques les plus nécessaires ?

Je ne veux plus m'écarter de la ligne de pensée pratique. Foin des spéculations métaphysiques et du vertige identitaire ! Je ne suis plus moi, mais plusieurs, et je joue tous mes atouts contre moi, contre ma vie. Je joue à qui-me-perd-gagne, à je-gagne-le-large. Je suis canadien, d'un bout à l'autre, et mon nouvel état se dissout aussitôt dans la vérité américaine. Je m'identifie au jeune Aryen blond, maître de la Terre, qui lève vers les plus proches étoiles un regard de défi. Car cette Terre étriquée ne me satisfait plus, et j'aspire à polluer d'autres planètes. Si vaste est l'univers que j'y fuirai bien mes traces, mon ici. Je suis voué aux inconnus, masses vierges qui tournent dans le vide noir. J'y transplanterai mon air, ma substance. Je coloniserai l'infini de mes rêves d'Homme, conçus en Langue — la seule qui ait un avenir en dehors de notre écosphère. Fini le français, pour peu qu'on envisage les siècles futurs et l'occupation d'espaces rédempteurs. Finis le chinois, le russe, le japonais, l'espagnol, langues quantitatives et terriennes. Une seule langue est planétaire : la Langue. Dès sa réapparition sur nos murs, dans nos vitrines, au ciel des grands panneaux publicitaires, le Québec s'est mis à rayonner par en haut, la fierté a jailli de nos cœurs et de nos lèvres, nos corps se sont embrasés, notre âme a reconnu l'aliment auquel la vouent les millénaires puisque la Langue est l'aboutissement de tout l'effort occidental et, par delà, de la longue révolution commencée à l'ère néolithique quand l'homme, encore frère de l'animal, a fait retentir l'air des premiers sons articulés dans ce qui devait être, indissociablement, une prière et un juron. Au bout des siècles, la Langue retrouve ce mixte d'immanence et de transcendance, de verve sacrée et de trivialité, elle conjugue les plus épaisses motivations quotidiennes avec le souffle tellurique qui inspire l'œuvre des grands poètes et des savants. Aucun idiome ne saurait rivaliser avec elle en quelque domaine que ce soit, même pour exprimer la vérité de peuplades dévorées par le sida. Elle est u-ni-ver-selle. Suis-je assez autre ? Suis-je assez admirateur du genou sur ma gorge ? Donné-je un suffisant exemple d'ouverture d'esprit, de sensibilité, de fressure ? Suis-je assez correct, politiquement et frénétiquement ? Je mettrais mon sexe sur la bûche pour que plus rien en moi n'adhère à la raison fleurdelisée. J'ai condamné le chanoine Groulx et ses disciples, adorateurs de Hitler et des chambres à gaz. Je renie tout droit du Québec à l'autodétermination, car le peuple vaincu sur les plaines d'Abraham n'a d'autre choix, du point de vue de l'honneur, que l'assimilation. Ainsi, celui qui a contracté une dette de jeu n'a d'autre ressource que de s'en acquitter. À plus forte raison, l'homme défait dans un combat légitime doit-il faire soumission et s'identifier au guerrier d'azur qui lui a fait mordre la poussière. On ne chipote pas sur la défaite. Une fois advenue, elle devient notre seul avenir et il n'est pas interdit, à la longue, d'en faire une occasion de réjouissance, voire un motif de fierté.

Quand je me serai bien pénétré d'universel, que j'aurai résigné toute prétention à l'affirmation personnelle et congédié mon attachement à la culture québécoise et française reçue de mes pauvres ancêtres, je commencerai ma vie véritable, positive, chaque respiration faisant place à une autre respiration de même longueur et de même profondeur — la part de l'air en moi — et constituant, avec les autres respirations, le train égal de ma journée vouée premièrement à la conservation de mes avantages et, secondement, à ma participation à l'effort collectif non national d'édification de l'Homme. C'est tout un, de disparaître ethniquement et d'exulter en tant qu'espèce. Enfin, nos élans physiologiques auront une justification *a priori* et je cesserai d'éprouver de débilitants remords à chaque égoïste satisfaction d'amour sale. Une fois converti à l'universel, je n'aurai plus de juge et mes pulsions battront la charge jusqu'à l'extinction de ma vie sans que le processus encoure le risque d'une infamante sanction. En clair : si le

Québec n'existe pas, tout est permis. La décadence n'est plus l'épouvantail à redouter, mais l'épaule fraternelle sur laquelle sangloter ses envies. Dans la fosse aux plaisirs qu'ouvre le relâchement des devoirs, dans le tout-à-l'égout de l'assimilation à la modernité, rien ne subsiste de la vie coupable. L'avenir seul compte, et il absout. L'avenir aspire la faute avant même qu'elle ait lieu, nous donne une âme sans pareille, sans *moi*, craquelante de saveurs qui jamais ne rassasient. J'envisage l'âme sous l'espèce un peu vulgaire, mais appropriée, de chips — flocons de pommes de terre frits et salés qui, sous la langue, hosties modernes, résistent un peu puis s'anéantissent en ne laissant derrière eux que le besoin d'une autre hostie craquelante, d'un autre anéantissement. Tel est le rythme de la vie normale, celle de l'homme converti au réel : respiration — chaque double mouvement s'abolissant devant la nécessité d'un recommencement, et ainsi de suite, à l'infini — ; dévoration inlassable et non blasée de l'avenir — toujours, jamais — sous forme de petits plaisirs quotidiens qui ont la saveur de l'universel et qui se prennent, se commentent, se laissent dissoudre en Langue, sur le bout de la Langue, comme d'ineffables hosties made in U.S.A. Voilà où le Québec expire. Né dans une grande bouffée de délire ultramontain, il évacue, après un siècle et demi de contention, sa bile rétrograde et micro-communautaire pour renaître en Homme nord-américain, pourvu d'un sexe fonctionnel et de rêves idoines, les mots bien en bouche, sauvé. Car le ciel n'est pas au-dessus des nuages, mais au sud du Canada, et le meilleur moyen d'y tomber, c'est encore de se fondre dans le grand tout fédéral. Être canadien, c'est le plus sûr moyen de devenir américain. Et d'être Homme, de part en part. Aucun Canadien, que je sache, ne manque d'existence. On n'a jamais entendu dire qu'un bipède des Prairies ou un cultivateur de pommes de terre des Maritimes ait éprouvé, en son cœur ou dans sa bouche, une angoisse identitaire. Spontanément, son cœur bat, ses organes de phonation vibrent en conformité existentielle avec ceux du Grand Peuple Mêlé d'Amérique, si blanc malgré ses Noirs et autres gens de couleur. Et toi, Québécois, dans cette mer parlante, tu voudrais te distinguer ? Faire entendre ton petit tas de mots déformés, même pas beaux ? Et les imposer aux Autres venus habiter chez toi pour te sauver de l'étiolement démographique ? Quelle ingratitude ! Incapable de vivre par toi-même, tu voudrais imposer ton impéritie en français à ceux qui t'apportent l'exemple de leur courage et de leurs appétits ? Du reste, cette question d'immigration ne te concerne pas. Tu es raciste, tout est dit. Et tu parles français, quelle misère ! Et quel français ! Diantre !

2

Ah! Le Québec d'autrefois! Quel paradis misérable, si bien fait pour nos âmes décharnées, grelottantes, qu'une prière suffisait à apaiser! C'était la paix car, comme des poux sur une terre convoitée de personne, nous tirions notre subsistance de l'aigre humeur des pierres, que nous sucions jusqu'à la moelle. Les pierres sont des masses inertes, dures, qu'une manipulation mystique pousse à la liquéfaction interne; de là vient que nous en tirions aimablement notre subsistance. Toute la famille, du père quadragénaire et chauve jusqu'au petit dernier au derrière couvert de croûtes, nous déjeunions de quartz et soupions de pyrite. Il fallait, de la part de tous, un intense engagement spirituel car le bouillon ainsi obtenu n'était pas transférable : à chacun sa pitance. Le régime n'était pas si détestable puisque, de quelques dizaines de milliers d'âmes que comptait le Québec au moment de la Défaite, nous étions passés à quelques millions lors de la

Révolution douillette. Rien qu'à sucer des pierres. Nous avions même exporté le tiers de nos courages en terre étrangère, car dès cette époque, nous avions manifesté une véritable fascination pour l'Homme et pour la Langue. L'Homme ne se nourrissait pas de pierre, mais de pain et de toute parole formulée dans le souverain idiome de la King James Bible et de Wall Street.

La Défaite nous fut on ne peut plus bénéfique. En nous cassant les reins, elle nous privait du réflexe de verticalisation nationale qui n'a jamais engendré que bisbille et misère. Dans son fauteuil roulant, le paralytique est magnanime. Il assiste aux catastrophes avec un bel esprit de résignation. Il bénit le ravage. C'est ce que nous avons fait, mais l'obscurantisme de ces temps prédémocratiques fit que nous nous repliâmes sur notre cassure et la ruminâmes dans les mots de notre condition antérieure, au lieu d'adopter ceux qui nous eussent permis de mesurer d'emblée notre conversion à l'Autre. Incapables de redressement, sectionnés à tout jamais à la base même de notre échine collective, nous aurions dû nous fondre avec enthousiasme dans la civilisation qui nous avait écrasés et qui, en peu de temps, allait soumettre le reste de l'univers. Je parle de la glorieuse ethnie britannique et de sa fille, la non moins glorieuse ethnie américaine, qui ont, à elles deux, transformé une planète provinciale en tigre rugissant prêt à dévorer les étoiles. Eh bien, pourquoi rester à part? Pourquoi ce racisme de pou — un pou qui s'entête, qui prétend résister à l'Invasion des cohortes immigrantes et parler son idiome condamné par l'Histoire ? Tant que les Québécois, rompus, mais encore virils, se sont multipliés sans égard à leur confort sur les chiches lopins de leur subsistance, ils ont gagné le droit de se traîner et de survivre avec les mots qui étaient comme les rots de leurs aspirations communautaires. À elle seule, cette survivance n'était que racisme et désespoir, et les beaux esprits de France et du Canada la condamnaient déjà. Mais que dire de la prétention, encore vivace de nos jours, à survivre quand les robinets de la génération se sont fermés, que l'instruction a propagé l'idéal des Lumières, que les projets nationaux des peuples inférieurs ont été dénoncés et que les aspirations patriotiques ont été légitimement assimilées au fascisme et au stalinisme ? Qui, en nos jours éclairés, hésitera à reconnaître dans le chanoine Lionel Groulx, de très catholique mémoire, un ennemi de l'humanité ? Qui ne verra en lui le sympathisant des auteurs de l'holocauste ? Et comment mieux expier son ignoble complicité qu'en nous vouant corps et âmes à l'œuvre la plus salubre qui soit, la fusion enthousiaste dans le grand tout nord-américain ? Je parle anglais ! je parle anglais ! et toutes mes fautes me sont remises. Car j'ai péché contre l'Homme. J'ai privé d'honnêtes marchands, attachés à leur sainte Langue ou à celle de leurs concurrents, du droit de nous l'imposer dans l'affichage. J'ai stoppé les progrès de la civilisation alors que, en France même, la Langue remportait d'impressionnantes victoires sur tous les fronts, gauche et droite confondues. Et pourtant, les Français parlent français ! L'idiome leur sort naturellement de la bouche, aux terrasses des cafés, dans les querelles de rue, au travail ou à la maison. Du matin au soir, leur cervelle sécrète de la langue qui est naturellement du français. Eh bien, nés français, vivant français, mangeant et déféquant dans la langue de leurs pères, ils ne rêvent que de parler, manger, rêver dans la Grande Langue et mettre ainsi un terme à un bon millénaire et plus de particularisme linguistique. Parler français, ont-ils compris, voilà qui est bien peu : il faut parler désormais, parler absolument, prononcer les mots qui font le réel et construisent l'avenir. Le troisième millénaire n'a pas de place pour le ramage des mille et un dialectes, patois ou sabirs nationaux, ni du reste pour le pullulement des peuples. Il faut l'Homme − cet Homme dès aujourd'hui en instance de robotisation et de télématisation, capable de harnacher les flux économiques, écologiques, intellectuels et spirituels de sa planète et de se lancer à l'assaut du vaste Univers. L'Univers ! Ce mot à lui seul disqualifie tout ce qui fait obstacle à la progression, sur nos murs et dans nos vies, de la Grande Langue, artisan insurpassable de notre mise au monde et ailleurs !

Le Québécois, né dans la gêne et la culpabilité avant le fait (avant tout fait), éprouve aussitôt le réflexe de se retourner vers l'orifice gluant de ses origines. Cet orifice parle un français douteux, lourd d'à-peu-près et de colère. Les mots s'y étirent comme des vers, sans se lâcher les uns les autres.

Ils forment une pelote élastique et malodorante, trempée dans le jus du malheur. Il s'agit, en fait, du délivre, qui est la matérialisation de la langue maternelle. L'enfant s'en empare, s'en recouvre, reconstitue tant bien que mal l'état d'irresponsabilité antérieur à la naissance. Sous cette tente, il apprend à modeler l'air de ses poumons en sons languissants, comiques, qui ont un lointain rapport avec les phonèmes parisiens. Il dit « A », mais son « A » est suicidaire, roule aussitôt dans la boue où il agite un moment ses ailes de mica, puis meurt. Et ainsi de suite, jusqu'à « Z ». Les mots formés sur la base d'un tel alphabet n'ont rien de glorieux, forcément. Parler est une aventure obscure et sans motivation véritable. On le fait parce qu'il faut bien vivre. On vit parce qu'on parle français, qu'il y a un combat à mener contre la Langue, contre la vie. Notre enfance nous détermine. Vient un jour, cependant, où on ne désire plus vivre pour parler français, mais parler pour vivre, et on découvre alors la Grande Langue, la grande pelote saignante des Hommes véritables nés tête la première et tout heureux de leur naissance. Jamais il ne sera donné aux Québécois de vivre comme ces derniers, mais leurs enfants pourront du moins s'y efforcer, et les siècles bifferont le souvenir de ces bizarres déchets d'humanité qui, sur les bords du Saint-Laurent, ont pendant un moment prétendu ériger leur particularité linguistique et culturelle en système de survie, au mépris des droits de l'Homme qui stipulent l'alignement sur l'universel.

L'universel est américain. Le matin, l'universel
se lève, après s'être bien réveillé. Il commence sa
journée par un sain rituel de toilette, puis prend
un solide petit déjeuner où figurent en bonne
place le pain grillé et le café. Puis l'universel, après
avoir embrassé son épouse, se rend au travail et,
de neuf heures à cinq heures, abat sa besogne
journalière avec compétence et enthousiasme,
évoluant ravi dans un milieu saturé de Grande
Langue – qu'il respire et recrache –, comme un
poisson rouge bouge dans un espace rond saturé
d'eau, au-delà duquel le monde lui apparaît justi-
fié. Ainsi, la Grande Langue est un environne-
ment sans faille au bout duquel le réel se dispose
en rond, et centré. La Grande Langue est le point à
partir duquel se conçoit la sphère de tout ce qui
existe. Je devrais dire, plus précisément : de tout ce
qui se meut, car la Langue est essentiellement
émission de signes qui se percutent et, frénétiquement, se bousculent vers la représentation du
réel, conférant à celui-ci sa nature cinétique. Le
monde, si je puis dire, parle, et il parle la Langue
par excellence. On ne conçoit pas un univers
parlant français, ou franco-québécois. Quelles
parodies d'étoiles déploierait-il dans la nuit ?

Au bout de sa journée, l'universel absorbe un
bon repas, puis détend sa lassitude bien méritée
dans un fauteuil, face à la télévision, et s'achemine
doucement vers le rituel du coucher. Là, après
avoir accompli son devoir d'Homme, il s'horizon-
talise pour de bon et éteint la lampe de sa conscience. Il dort. La Langue fait retrait en lui et, de

son nez et de sa bouche, ne sort plus qu'un air sans phonèmes, exhalaison de la masse de chair et d'os.

Et la nuit plane au-dessus de l'Homme qui dort, sécrétant dans l'antre du sommeil de frais phonèmes pour une autre journée où sera réinventé le monde.

Dieu, quand Il existait, favorisait l'existence de plusieurs idiomes, comme en témoigne le mythe de Babel. La pluralité des langues humaines permettait à Dieu de « diviser pour régner »; aucun groupe humain ne pouvait prétendre s'ériger en instance suprême et défier l'autorité du Créateur.

C'est ainsi que les Québécois, nés d'une poignée d'aventuriers et de filles du roi placés sous la houlette de quelques missionnaires hagards, firent retentir sur les bords du Saint-Laurent les accents héroï-comiques de la nation française. Tant que la religion garda quelque empire sur cette horde et sur ses descendants, l'avenir du français put sembler assuré. Mais, après la mort de Dieu, il fallut bien se rendre à l'évidence. Les petites cultures ne trouvaient plus le support et le ferment nécessaires à leur existence. La Grande Langue affirmait chaque jour davantage sa suprématie et, même chassée des vitrines de Montréal et du reste du Québec, elle occupait désormais dans les cœurs la place laissée vacante par la religion.

C'est cet état de fait qu'il faut maintenant reconnaître, une fois pour toutes. Il s'agit, en somme, de la modernité, qui commence pleinement avec la disparition de la référence à Dieu. Dieu était le grand Autre, mais son existence faisait de tous les hommes des frères, malgré leurs différences. La modernité, en supprimant l'au-delà, fait de mon frère un autre. Est autre ce qui n'est pas moi. Et l'autre parle une langue, la même pour tous : la Langue. Si je l'adopte, si je renie l'idiome de mon enfance, je parlerai la Langue commune, mais ce sera la Langue des autres, de l'autre, et de moi en tant qu'autre. Le fondement même de la communauté et de l'universalité est mon aliénation à moi-même et ma conversion à l'idée, à la pensée de l'autre, à ses mots, au bruit que les mots font dans sa bouche et dans la mienne, au paquet son-sens-existence qui actualise la parole entre ma soumission et son étincelante fureur de vivre. Son aisance, quoi. D'aucuns marchent dans la vie avec des pattes raides et tristes ; l'Homme est ingambe, il danse. Du moins, sa marche a quelque chose d'élastique, d'irrépressiblement jeune. C'est qu'il est porté par des mots de joie, pleins de ressort. Et je voudrais me transposer dans ses pas, n'est-ce pas, et que mes pas présents de francophone malheureux prennent une rue transversale et disparaissent à jamais. Ainsi je serai autre, une bonne fois pour toutes. J'aurai oublié Dieu et son babélisme machiavélique. Je serai mûr pour la grande aventure du troisième millénaire, qu'il me faut dès maintenant imaginer comme si mon recyclage linguistique et mental était chose accomplie.

3

Dans quelques années à peine, le soleil se lèvera sur une Terre livrée depuis deux mille ans révolus aux fantaisies polymorphes de l'ère chrétienne. Un troisième millénaire commencera son petit bonhomme de chemin, d'abord tout ramassé sur lui-même puis se déployant à l'image du Big Bang dont nous vivons les retombées toujours fraîches. De même qu'un seul atome, porteur de la totalité, est à l'origine de l'Univers, un seul mot qui est un monde – WOR(L)D – est au principe des mille ans à venir. Ce mo(-t/-nde), c'est *I*, qui se dit aussi *Hi!* et *High* : *moi, salut!* et *haut*. Moi, c'est le fondement même du langage et du monde, ce par quoi tout existe. Je suis, donc je pense, je parle, et tout existe. Ma conscience fait que tout est. Sans doute, tout lui préexiste-t-il ; mais pour qui ? Pour personne, tant que ce n'est pas pour moi. Je suis Dieu. Je suis celui par qui Dieu est possible, donc je crée Dieu. Peut-être existe-t-il en dehors de moi, mais s'il n'existe pas pour moi, cela ne lui sert à rien. Mon pouvoir est infime, mais en même temps il est total, vu que rien de ce qui est n'existe que pour ma conscience.

Ma conscience cependant serait malheureuse d'exister seule. Il lui faut des sœurs en êtreté. Quand je croise un être humain dans le désert, mon cœur s'émeut et, blessé d'une grande émotion, je m'écrie : « Aïe ! » Cette expression de douleur est aussitôt reçue et convertie par l'autre en marque de salut. Il répond : *Hi !* Miracle de la Langue, qui donne immédiatement un sens d'ouverture à ce qui n'était, au départ, qu'une jaculation subjective ! La communication interindividuelle est grandement facilitée par une langue dont les phonèmes, souvent complexes, se laissent interpréter dans tous les sens que le contexte rend possibles. « Moi » devient ainsi très aisément une apostrophe à l'autre, donc une sortie hors du territoire de la subjectivité (pourtant déjà virtuellement porteur de l'Univers dans son ensemble), et finalement un déclencheur d'élévation (*high*) car le mouvement vers l'autre immédiat inaugure la spirale ascensionnelle qui me rendra, par la connaissance, maître de tout ce qui est.

Or ce mouvement vers la totalité risque de sombrer bien vite dans l'arbitraire et l'enfantillage s'il ne prend appui sur une langue à vocation universelle. Les mots-mondes (*wor(l)ds*), en Europe, au Moyen Âge, constituaient le latin, approprié à la découverte de la géographie terrestre. Depuis, l'expansion phénoménale du corps des connaissances nécessita la promotion d'une autre langue

universelle, capable de fouiller le mystère des
étoiles et de lancer la pensée jusqu'aux confins de
l'Espace, là où les conditions mêmes de l'existence
du Moi deviennent impensables. Car il n'y a pas
de Moi sans la possibilité d'être centre, de se
penser centre du monde. Or, il est des coins si
perdus, si privés de relation à l'être, qu'ils ne
peuvent abriter aucune conscience centrée. On
comprend, du reste, ce qui fait la supériorité incon-
testable de la Grande Langue sur toutes les autres :
c'est qu'elle ne contient aucun de ces coins perdus,
aucune de ces zones de déréliction si abondantes
dans la langue d'un Pascal. « Le silence éternel de
ces espaces infinis m'effraie », avouait le pâle jansé-
niste au sortir d'une séance de contemplation des
astres. Cette phrase est, à elle seule, un des chefs-
d'œuvre de la langue française – piètre chef-
d'œuvre, en vérité, puisqu'elle témoigne du
manque de courage devant la pensée de l'infini-
ment grand. La langue qui fait de *I* l'homonyme de
high n'a pas de ces couardises. Sur les plaines
d'Abraham, elle fait terrasser Montcalm par Wolfe
– qu'était-ce qu'un « mont calme » face à l'agres-
sivité, cent fois plus haute, du vieux « loup » ?

Je ne ferai pas l'apologie de ces calembours. Du
moins suggèrent-ils que l'heure n'est plus aux
raisonnements, mais à l'assertion conquérante. On
ne passe pas, corps et âmes, sous le régime de la
Langue sans un salutaire sentiment de défaite. La
Défaite fut, pour le Québec de nos aïeux, une occasion de s'ajuster à la réalité. Le meilleur moyen de
retrouver l'esprit de cette grande circonstance, c'est

encore de museler la raison et de laisser libre cours aux pires dévoiements de la rhétorique. La Révolution douillette, au début des années soixante, a prétendu corriger l'Histoire en propageant dans la population le mesquin mot d'ordre : « Maître chez soi ». Voilà bien le langage de la raison et de la courte vue ! Pour être maître chez soi, encore faudrait-il que l'État corresponde à une population et une seule. Or le Québec est double, il est même multiple. On y parle non seulement le français — et si mal ! — mais aussi la Langue, l'italien, le grec, l'espagnol, le portugais, le vietnamien, le chinois, l'hébreu, le créole et une foule d'idiomes d'Europe de l'Est, d'Asie et d'Afrique, sans compter quelques centaines de dialectes autochtones. Comment prétendre être maître chez soi quand ces ethnies, ces nationalités diverses revendiquent légitimement l'égalité de droits avec la Piètre Majorité ? Comment ne pas mourir de honte quand, à bon droit, les envahisseurs nous reprochent de méconnaître la seule Langue favorable à la communication interculturelle ? Je dis donc : vive la Défaite, et que l'assimilation mette fin aux illusions de la Révolution douillette, qui eut certes le mérite de plonger le Québec dans la modernité, mais en exacerbant malheureusement le sentiment identitaire. La véritable modernité est anti-identitaire. Elle est le règne de l'autre, l'assimilation à l'autre en tant qu'autre, et c'est ainsi qu'elle est salut et avenir. Elle est salut car elle nous sauve de nous-mêmes, de notre insignifiance, de notre racisme, de notre exécrable tendance à l'autodépréciation, de ce vertige quotidien qui nous voue au vice et au désespoir, quand ce n'est pas à la religion ; et elle est avenir car le passé derrière elle se referme comme un rectum énigmatique pour sceller dans notre chair l'appétence vers l'autre chair, la chair de l'autre, en l'occurrence cet Homme et cette Femme qui, dans un viol inouï, détermineront notre bonheur.

Essayons d'imaginer ce bonheur.

Je suis dans la maison de l'autre. Avant d'y chercher refuge, j'ai pris soin de mettre le feu à ma propre maison, que tant de souvenirs m'ont rendue si insupportable. On m'a accueilli sans un mot et, comme il était tard, on m'a mené à un lit où je me suis étendu. Pendant dix heures, j'ai dormi d'un sommeil de plomb. Voici le matin éclatant, voici la porte qui s'ouvre. Mon hôtesse, vêtue d'un sarrau impeccable, s'approche de moi en souriant. Elle dit, simplement :

— *Hi !*

Hi ! Hi ! A-t-on jamais inventé salutation plus simple, plus indiscutable ? Je pense à cette apostrophe ampoulée de Jacques Hury à Violaine : «Ô ma jeune fiancée entre les branches en fleurs, salut !» et j'imagine ce que deviendrait cette réplique sous la plume d'un Claudel américain : *Hi !* Quel besoin de plus de mots ?

Elle est là, bienveillance incarnée. Elle a un frais visage de quarante-trois ans, réplique troublante, comme celui de toutes ses compatriotes, du visage de la gracieuse souveraine qui, depuis plus de quarante ans, dirige de son sceptre les destinées formelles de la Grande-Bretagne et du Canada.

Encore englué dans le sommeil, je pousse un faible *Hi!* en réponse au sien, un *Hi!* qui est à peine un soupir (*sigh*). Aussitôt, le sentiment d'être moi (*I*) s'empare de ma conscience et c'est merveilleux. Jamais, à vrai dire, n'ai-je éprouvé avec autant de netteté la sensation d'une adéquation exacte entre mon corps et cette intériorité, généralement si timide, qui l'habite. Ce matin-là, je me sens carré, en ce sens que les coins de la chambre à âme dessinent en moi, aux quatre extrémités de la poitrine, des angles droits. L'air que j'inspire circule librement dans mes poumons, comme si je n'avais plus derrière moi ce terrible passé d'ami des chambres à gaz que le diabolique chanoine nous a laissé en héritage. Je souris à mon hôtesse, qui s'approche de moi en susurrant des mots que je ne comprends pas – ma connaissance de la Langue est encore sommaire, pour ne pas dire rudimentaire –, mais qui font un baume sur mes innombrables plaies d'amour-propre – et d'amour tout court. Car jamais, dans mon sale passé francophone, je n'ai vraiment connu ce que c'est que d'être aimé, c'est-à-dire pris en charge par une bienveillance supérieure et confié, comme un pain à cuire, à la chaleur enveloppante du four. Rien de commun, certes, entre ce four bonifiant, ce purgatoire bienfaisant qui, d'une masse gluante, vous transforme en pain odoriférant et frais, et le four crématoire auquel le chanoine dément vouait en esprit les locuteurs de la Langue.

Je me sens donc aimé. Mon hôtesse pose sur moi un regard filtré par son admirable rétine bleue, d'une nuance indéfinissable se situant entre le bleu du ciel et le bleu royal et évoquant la lumière particulière d'un jour de grand vent quand tourbillonne sur la mer un vol de goélands. C'est bleu, très bleu, d'un bleu que je qualifierai finalement d'insulaire car rien n'en vient limiter l'irradiance. Le regard qui perce au travers est franc, direct, pratique et semble dire : aimeriez-vous boire un jus d'orange ? Rien que cela, et pourtant tout est dit. Le jour, le vrai jour peut commencer. De sa main ruisselante de phonèmes, la Femme au visage de reine me tend un verre rempli de soleil liquide. Je le bois en plusieurs petites fois, savourant la charge de substance lumineuse qui franchit mon gosier vers la chambre à âme. Puis mon hôtesse m'apporte le journal et nous rions beaucoup au récit de l'incendie qui a dévasté tout un pâté de maisons francophones. La mienne, en particulier, est une ruine totale et ses décombres encore fumants, lit-on, recèlent sans doute mon corps. Là-dessus, mon hôtesse insinue à la blague que, pour un compatriote du chanoine ami des chambres à gaz et des fours crématoires, c'était bien fait de mourir par le feu ; mais je ne suis pas sûr d'avoir compris et il se pourrait qu'elle ait dit tout à fait autre chose.

Ce qu'il y a d'alarmant, dans la vie qui s'ouvre devant moi, c'est que les paroles et, par conséquent, les intentions des Hommes et des Femmes ne me seront intelligibles qu'à moitié tant que je n'aurai pas intériorisé leur compétence linguistique, qui n'est pas seulement affaire de mots, mais aussi de pensées, d'intuitions et de sensibilité. Il me faudra plusieurs années d'apprentissage. D'ici à ma complète assimilation, je risquerai sept fois par jour d'interpréter tel ordre à moi adressé dans un sens parfaitement contraire à celui qu'on lui donne, et j'encourrai le qualificatif, objectivement mérité, de sale tête de cochon francophone, de cervelle de grenouille et, au bout du compte, de raciste. Car le raciste n'en fait qu'à sa tête, ne comprend rien à rien et met le bois de sa mauvaise volonté dans les roues de l'Homme et de la Femme. Mais le risque de me voir rappeler à tout moment mon indignité sera largement compensé par le plaisir de constater, chaque jour, l'expansion de ma connaissance du réel et l'intensification de mon adhésion au corps vivant de la Vérité. Je serai comme le nourrisson branché à la source du lait, qui se gave jusqu'à plus soif, jusqu'à s'étourdir de santé et roter de jouissance. Pour me faire pardonner mes lacunes, je me mettrai à genoux devant mes maîtres et je baiserai le bas de leur pantalon ou de leur robe. Si on me flagelle, je bénirai la douleur et me roulerai dans la poussière, pour que l'infection prolonge le bénéfice de la correction. Car je veux arriver, au jour de ma mort, si cousu des marques de ma conversion que pas un centimètre de ma peau ne rappelle ma naissance naturelle au sein d'un peuple que j'abomine.

Après m'avoir servi un jus d'orange et fait lire le journal, mon hôtesse me remet une petite pile de vêtements que je dois maintenant revêtir, ainsi qu'une paire de chaussures sport. Puis elle s'éclipse, pour ne pas me mettre à la gêne. Je me défais des vêtements de mon passé, dont le ridicule me saute aux yeux au fur et à mesure qu'ils tombent devant moi, et enfile la tenue, d'un blanc éclatant, qui sera désormais la mienne. Sous-vêtement, chaussettes, mouchoir, chemise et pantalon : tout est blanc et pourtant, par je ne sais quel miracle, rien ne force la note. Je me sens distingué et de bon ton. Du haut de mes yeux, je regarde mes baskets neufs et retrouve la fraîcheur de mes quinze ans, quand j'extrayais du papier craquetant les neuves espadrilles odoriférantes. Pour un peu, je porterais à ma bouche mes chaussures immaculées, je les baiserais et les sucerais. Mais il me faut dominer ces mouvements spontanés et un tantinet régressifs qui réactualisent les occupations des sept ou huit premiers mois de mon existence. Du reste, il n'est pas dit que je puisse réaliser si aisément la conjonction de ma bouche et de l'extrémité inférieure de mon corps. Le nouveau-né est un contorsionniste spontané ; à mon âge je ne puis, sans crainte d'échec, envisager de plier l'échine et de me retourner comme un gant, même si cette conversion me doit faire passer au rang des élus.

Telle est bien la question : saurai-je plaire ? Ne restera-t-il pas en moi quelques vertèbres francophones impossibles à amollir ? Comment, dans la force de l'âge, peut-on devenir semblable à ces petits enfants pour qui seuls s'ouvrent les portes du Royaume ?

4

Je veux plaire à mes maîtres. Je suis vêtu de blanc, et mon âme tout entière ne tend qu'à une chose : être agréé. Je veux devenir Homme, tout en sachant que je ne le deviendrai jamais. Mais peut-être le deviendrai-je un peu et participerai-je alors de la grâce d'être Homme. Pour cela, il me faut réduire en mille miettes mon âme, faite de vil plastique. Comme le soldat, j'abdiquerai toute volonté, tout désir particulier et surtout, je renon-cerai à la vaine faculté de réflexion personnelle. Je serai, comme le soldat, un corps bien plein entre mes deux oreilles. Mes fesses rebondies sailliront sous le garde-à-vous, et je n'aurai d'autre préoccu-pation que mes trois repas quotidiens et le service de mon pays – ou plutôt, de la Grande Langue, qui est la langue de mon pays. Je serai un soldat de la Langue. Pour elle je me battrai, je risquerai ma vie. Au besoin, je ferai le coup de feu contre mes niais compatriotes qui n'ont pas encore flairé le vent de l'Histoire et qui s'obstinent à végéter dans leur

français putride. J'aimerais mourir pour Elle, la
Grande Langue. Je serais alors quitte de tout le
temps que j'ai perdu à caresser de vains espoirs,
jusqu'à ma prise de conscience récente. Un jour, en
effet, j'ai enfin compris que la résistance, passé un
certain seuil d'absurdité, devient contraire au
bonheur et à la vie et j'ai alors pris le parti, fier
Sicambre, d'adorer ce que j'avais brûlé. Depuis,
j'applaudis à la montée irrépressible des forces
d'assimilation et je ris des simagrées avec lesquelles
mon peuple manifeste à la fois son attachement à
je ne sais quelle identité collective qu'il serait fort
en peine de définir, et passe autour de son cou la
corde qui scellera bientôt son sort. En ramenant sur
ses murs les mots de la Grande Langue, mon
peuple feint de corriger une injustice qu'il aurait
commise à l'égard des allophones ; ces derniers,
affirme-t-il, ont le droit de m'exploiter dans la
Langue de tous les Hommes. Mon peuple croit
aussi, et avec raison, que le Comité des droits de
l'homme de l'O.N.U. regarde avec sévérité ses
pauvres efforts pour survivre. Comment peut-on
prétendre survivre quand on le fait au détriment de
l'Homme ? Mon peuple n'a pas tort de se soumettre,
mais il se leurre mille fois en continuant d'espérer
maintenir sa culture et son idiome. Voilà ce que je
ne tolère plus. J'ai le goût des solutions nettes. S'il
faut que je me soumette, je le ferai jusqu'au bout.

C'est pourquoi j'ai brûlé ma maison et cherché
refuge ici. Ici sera mon vrai chez-moi. Déjà, tout
vêtu de blanc, je me familiarise avec un premier
lieu. La chambre où je suis est de dimensions

moyennes. Ses murs sont blancs. La lumière du soleil filtre de chaque côté du store, blanc lui aussi, encadré de deux longs rideaux idem. Le plancher est recouvert d'une moquette neigeuse parsemée, çà et là, de feuilles d'érable stylisées, d'un rouge cru, en tous points analogues à celle qui décore le drapeau du Canada. Dans un coin, près du plafond, une caméra est braquée sur moi et enregistre silencieusement tous mes mouvements. Il m'a fallu quelque temps pour la repérer, et j'avoue que sa découverte m'a un peu choqué. Mais j'ai vite réagi et compris mon étourderie. N'ai-je pas voué tout mon être à l'Homme ? Quelle part de moi-même lui soustrairais-je ? Quelle intimité ? Ma conversion récente ne signifie-t-elle pas, justement, la fin de tous les mirages intérieurs ? Ne suis-je pas nu, désormais, et sans secret devant les dignes puissances de l'existence ? N'ai-je pas trouvé la seule façon raisonnable d'occuper l'infime portion d'espace, sur cette terre et dans l'univers, à laquelle me voue, pour quelques années encore, mon injustifiable existence ? Pourquoi dissimuler à l'autre, qui a sur moi l'avantage d'une existence justifiée, la moindre parcelle de ma vie privée ? Ah ! caméra, enregistre-moi, gave-toi de mon insignifiance, de ma laideur, de mes turpitudes, et laisse-moi, par mes chemins misérables, progresser vers l'éblouissante vérité de l'Homme ! Tiens, je marche… Mais quel est ce timbre assourdissant ? Il m'a semblé que de poser le pied sur un certain endroit de la moquette entraînait le déclenchement d'une sonnerie si stridente que j'en ai le tympan déchiré, ou presque… Sans doute s'agit-il d'une coïncidence. Je disais donc: je marche vers toi, ô Vérité… – encore! J'ai de nouveau l'impression d'avoir déclenché un avertisseur péremptoire (quel coup de scie ronde – si je puis dire – juste entre mes deux oreilles!) en posant le pied sur cette feuille d'érable… Mais voilà! Je crois que je comprends. Cette moquette est pour ainsi dire minée. Je peux me déplacer sans problème sur toutes les zones blanches, mais le moindre effleurement du motif folié déchaîne la sonnerie. J'aurais dû y penser puisque la moquette, ainsi ornée, acquiert le caractère sacré d'un drapeau! Marcher dessus, c'est la fouler aux pieds, du moins quand son noble motif est touché. Par deux fois, j'ai pesé de tout mon poids sur le fragile emblème de mon pays, cette feuille morte qui semble abandonnée sur un tapis de neige. Mon cœur se serre à la pensée du sacrilège que j'ai commis, surtout dans la maison d'hôtes si obligeants qui m'ont accueilli sans mot dire, m'ont hébergé, vêtu, alimenté, moi qui ne suis rien d'autre à leurs yeux qu'un ver de terre, un ignoble francophone!

Voilà cependant que la porte s'ouvre. Mon hôtesse, courroucée, se présente toute nue avec dans la main droite, un fouet d'une grande perfection, dont la seule vue inspire la terreur. C'est l'instrument privilégié des séances de correction impitoyables, qu'ont imaginé les siècles les plus noirs. Des chardons de métal dont les pointes ont l'acuité d'hameçons en garnissent les extrémités.

– Vous avez porté le pied sur l'âme rouge de votre pays, dit mon hôtesse dans un style shakes-

pearien dont ma traduction ne saurait rendre les
beautés, et, par deux fois, vous avez ému l'air des
vibrations irritées du timbre. Vous êtes une ordure,
vous n'avez rien à envier à votre sale peuple de
cloportes tout juste bon à ramper dans la misère et
dans les satisfactions symboliques, et vous serez
châtié. Regardez-moi !

Je lève les yeux jusqu'à ses pieds et me rends
compte qu'elle foule elle-même le noble motif sans
déclencher la tempête sonore. C'est un privilège de
l'Homme (et de la Femme) que d'échapper au
sacrilège. Ou plutôt, il n'y a sacrilège que si l'emblème sacré subit l'attouchement d'un inférieur.
L'Homme et la Femme sont, bien entendu, supé-
rieurs aux drapeaux et autres chiffons qui matéria-
lisent leur toute-puissance.

— Chien ! regarde-moi, te dis-je !

Je m'enhardis à lever les yeux jusqu'aux genoux, qui sont d'une splendeur émouvante. Je n'ai
jamais été spécialement amateur de genoux, mais
il me faut reconnaître la délicate perfection de
ceux-ci. Ils ne sont ni ronds ni, bien sûr, carrés
(comme les genoux d'hommes), mais oblongs,
pour ne pas dire elliptiques ; cependant, les extrémités supérieure et inférieure de la rotule sont
légèrement aplaties, de sorte que le tout est main-
tenu dans de justes proportions, en harmonie avec
la ligne inaugurée plus bas par la cheville, d'une
part, et ce que je devine de la cuisse, d'autre part.
Mais je suis bien loin encore de poser mon regard
sur le haut de la jambe, tant mon effroi et mon
respect me contraignent à l'humilité.

— Sale chien! Veux-tu bien m'obéir? Regarde, te dis-je, rince-toi l'œil! fait-elle dans un style de plus en plus actuel, qui m'atteint comme une série de gifles.

Je me résigne donc à affronter le spectacle de ses deux cuisses somptueuses, merveilleusement fermes sur le devant, mais beaucoup plus pâles et comme crémeuses vers l'intérieur, là où elles se fondent dans le mystère des chairs complètement lâches et captatrices, sorte de trou roux vers lequel, corps et âme, je me sens irrésistiblement aspiré. Mais, dans ma dérive, mon genou (car je suis tombé à genoux, sans m'en rendre compte) écrase une feuille d'érable de la moquette et, aussitôt, le timbre me transperce les deux tympans avec une violence inégalée.

— Ordure! ordure! me crie-t-elle, tes sales genoux violentent l'âme de ton pays, de même que ton regard offense ma pudeur! Souffre, expie ta coupable audace!

Et elle m'assène, avec une force que je n'avais pas soupçonnée en un corps si gracieux, un coup de fouet magistral. Les lanières s'enroulent deux fois autour de mon torse, y pratiquant de larges entailles, et les boulettes pénètrent profondément dans les muscles de mon dos. La douleur est si vive que j'en reste étourdi, comme si ma conscience quittait brutalement son siège naturel, la tête, pour se coller aux plaies et empêcher mon fluide vital de s'échapper par elles. La sensation de cuisson intolérable, aggravée par celle du déchiquetage musculaire (j'ai, littéralement, la chair arrachée), me tient lieu de périphérie, cependant que mon cerveau est pris dans un mouvement de giration de plus en plus rapide, qui pourrait rappeler celui d'une centrifugeuse. Je me manque à moi-même, semblable à un pot qu'on viderait en un tournemain de son contenu. Ma conscience, en somme, colmate la brèche à la périphérie de mon corps et accuse ainsi le coup, selon le vieux schème action-réaction qui régit les échanges dans l'univers physique ; mais d'autre part, comme ma conscience a dû quitter sa position de centre, je me retrouve comme déserté de moi-même, et c'est au bord de l'évanouissement, dans un état de quasi-indifférence que je me sens envahi par une douleur très laide, basse, vulgaire, qui me fait geindre et pleurer comme un enfant. Je suis une chair qui pleure, qui saigne, et je n'exerce plus aucun contrôle sur mes humeurs. Toute dignité m'a quitté. La moquette, à mes pieds, est souillée de liquides divers tombés de moi, même des verts (c'est la bile, je crois, qui coule par ma bouche). Combien de temps resté-je ainsi, incapable de mouvement, à baratter ma douleur tout en dégouttant mes humeurs ? À peine commencé-je à me remettre qu'un deuxième coup, plus violent que le premier, me fait gravir de nouveaux sommets dans l'ordre de la souffrance et du désespoir – car j'ai bien peur de ne pas sortir vivant de cette épreuve. En même temps, l'humiliation m'étreint. En effet, la surprise de cette seconde douleur s'ajoutant sans préavis à la première a produit le relâchement spasmodique de mes intestins, qui ont expulsé leurs matières. Un flot de ricanements et d'injures, dans une Langue

qui touche au plus bas de son clavier expressif,
salue le triste événement. Je me vois tomber à
genoux, puis fléchir encore davantage et, à la fin,
m'écrouler littéralement, la face dans mes dé-
jections. Puis je ne vois plus rien du tout car j'ai
quitté la scène de mon châtiment et me retrouve
nul, dans l'absence complète de temps et d'espace.
Quel dommage de ne pouvoir savourer ces moments d'inconscience où l'on échappe à ses tour-
ments et à ses douleurs! Le sentiment d'exister ne
me reviendra que mêlé à celui de souffrir. Je sais
pourquoi la mort est détestable. Elle a beau
interrompre la vie, elle n'inaugure rien du tout. Elle
ne suspend donc rien, ne met un terme à rien. Elle
fait passer de l'absurdité de la vie à rien d'autre,
même pas au sentiment d'une escapade. C'est
pourquoi je voudrais, en cette vie même, connaître
le paradis et me fondre dans la vérité de l'Homme
et de la Langue. Mais je commence à craindre que
mon hôtesse, loin de favoriser ce passage, ne m'es-
tropie à tout jamais ou même, ne m'expédie dans
un monde où l'on ne parle nulle langue, parce
qu'on n'y parle plus! De la douceur, de la douceur,
de la douceur! voudrais-je en pleurant lui recom-
mander, tel l'enfant qui, dans un bois, s'adresse à la
bête aux crocs découverts. Quoi qu'il en soit, je ne
reviens à moi que pour essuyer une colère qui frise
l'hystérie. Dès que je réussis à me remettre sur mes
pieds, elle m'assène un troisième coup de fouet qui
me met définitivement hors d'état de penser. C'est
mon sexe, cette fois, qui absorbe le plus gros de
l'impact et je suis catapulté net dans les espaces de

l'outre-douleur. Quand je m'éveille, plusieurs heures plus tard, la chambre est plongée dans la pénombre et je suis étendu sur le lit. Pendant mon évanouissement, on a fait le ménage et pansé mes plaies avec un baume cicatrisant que connaissent bien les adeptes des amours sado-masochistes. Ma peau, certes, reste sensible ; au moindre mouvement, je suis parcouru de douleurs lancinantes, acides, comme si je m'étais fourré nu dans un bouquet d'orties. J'éprouve la bizarre sensation d'être un sac dont le contenu échappe aux atteintes de l'extérieur, mais qui séjourne lui-même sans brûler dans la braise. Le feu des choses me lèche sans me consumer. Tel est l'enfer, paraît-il, et je l'aurai donc connu sur la terre.

Les forces m'étant revenues un tant soit peu, je me hisse suffisamment haut sur mes coudes pour procéder à l'examen de mon pauvre corps. Je suis toujours vêtu de blanc, des pieds à la tête, mais le sang a maculé ma chemise et mes autres vêtements, reproduisant exactement le dessin de mes blessures. Or, que constaté-je ? – et avec quel étonnement ! – Ma poitrine s'orne d'une large flaque rouge qui reproduit exactement le sacré motif de l'unifolié ! Le même motif, en plus petit, recouvre mon sexe et semble se substituer à lui, comme une sublimation visible ! Ainsi, le châtiment apparemment sadique, c'est-à-dire cruel et sans motif, était en fait une habile opération de tatouage qui me voue à jamais à la défense et illustration de la Langue, ainsi que du pays où elle a trouvé le plus cher des domiciles !

5

Mon hôtesse est de nouveau dans la chambre, vêtue comme lors de notre première entrevue. Elle s'est assise à mon chevet et nous conversons. Elle ne parle pas un mot de français, mais je fais appel à toutes mes ressources linguistiques et j'estime saisir de quatre-vingt-sept à quatre-vingt-dix pour cent de ses propos. Elle me regarde avec un franc et cordial sourire. De temps en temps, cependant, ses traits se durcissent et elle me crache au visage. Mais aussitôt, elle surmonte ses sentiments hostiles et le sourire revient sur ses lèvres peintes d'un rose métallique.

— Eh bien ! mon chéri, me dit-elle d'abord, comment te sens-tu ici ?

De m'entendre appeler *darling* – cette épithète qui, du fond de mon enfance, résonne dans toutes les comédies amoureuses du cinéma hollywoodien, appliquée à de grands mâles indubitables qui, en retour, donnent du *honey* à leurs partenaires invariablement *soft* et *stickées* – détermine d'emblée

dans mes dispositions intimes un rougeoiement de
braises. *Darling*, moi ! Moi qui n'ai jamais fréquenté
le *high school*, où garçons et filles apprenaient les
vraies connaissances puis, dans leurs temps libres,
s'initiaient à la romance, faite de sentiments clairs
et distincts sur lesquels les mots *honey* et *darling*
égrenaient leurs tintements de clochettes !

— Je me sens très bien, miel !

— Hmm ! Miel ! Vous avez le sens, vous les
Français, des formules qui excitent.

— Mais…

— Je sais, tu n'es pas Français, mais Québécois,
et tu as appris la galanterie dans les films améri-
cains de série B. Au surplus, il n'y a rien d'excitant
dans tes compliments maladroits. Mais je veux,
moi (*I*), que tu sois le plus irrésistible des char-
meurs et que tu me portes au pinacle (*high*) de la
frénésie érotique !

C'est ici qu'elle me crache pour la première fois
au visage et que, déconcerté, je ne sais plus du tout
quoi penser. Habitué depuis toujours aux con-
duites paradoxales de mon entourage à mon
égard, j'accueille ce crachat avec résignation, mais
il n'en produit pas moins son effet et un clivage
s'amorce entre, d'une part, la confiance que m'inspire la cordialité de mon hôtesse et, d'autre part, la
crainte non moins réelle que suscite sa dureté.

C'est alors qu'elle se met à m'interroger avec
insistance sur mon racisme, tout en promenant sur
ma cuisse droite une main machinale qui, à la
longue, éveille des émotions tout aussi machi-
nales.

— Pourquoi, dis-moi, pourquoi ce racisme qui est une attitude d'esprit si vilaine?

— Mon racisme? demandé-je, très embarrassé.

— Oui, tu sais bien? Les chambres à gaz… les Juifs, les Noirs exterminés, tout ça…

— Je vous assure, chère amie, que ces crimes horribles me révoltent moi aussi!

— Allons! Le chanoine… comment l'appelles-tu? Proulx, je crois…

— Lionel Groulx?

— Oui, c'est cela. Le vieux cancrelat! Il paraît qu'il disait des messes noires sur le cadavre de petits anglophones.

— Vous êtes sûre de ce que vous avancez?

— Tout à fait sûre. C'est Mordecai Richler lui-même qui l'affirmait l'autre soir, à la taverne. Le *New York Times* prépare tout un dossier sur le sujet.

— Eh bien! si c'est vrai, je suis scandalisé!

— Facile, ça! Il aurait fallu prévenir, plutôt. C'est cela le racisme, mon petit : cette complicité ignoble, ce laisser-faire systématique. Une fois le crime accompli, il est trop tard. Trop tard!

Dans ses yeux lourdement maquillés de bleu, une larme d'exaspération vient mouiller l'accusation qu'elle dirige contre moi. Je sens que sa vie, si valeureuse, se noue charnellement en un reproche intense et que devant elle mon existence, de part en part, est une faute impardonnable.

— Trop tard! reprend-elle. De petits enfants sans défense, ligotés tout nus sur l'autel du nationalisme et exposés à la fureur lubrique de ce nonagénaire! — Car, pour abuser de la jeunesse auprès de laquelle il se faisait passer pour un professeur d'énergie nationale, il se rajeunissait de plusieurs années, m'a-t-on dit.

— C'est horrible !

— Hé ! Il s'en est passé de bien pires !

Là-dessus, elle me raconte toute une série de faits historiques, connus d'une poignée de spécialistes et tenus secrets pour des raisons de haute politique. Sait-on, par exemple, que Hitler, embarrassé par la question des modalités de réalisation de la solution finale, fit parvenir une missive secrète à l'abbé Groulx pour lui demander conseil, et que ce dernier, embarrassé à son tour, mit en rapport le führer avec un bouillant jeune intellectuel, Jean-Louis Gagnon, qui voyait rouge et ne s'encombrait pas de nuances ?

— Ton peuple, conclut mon hôtesse, est sans doute le plus grand ramassis de criminels de l'Histoire. Toi-même, sans t'en douter (et elle me crache ici pour la quatrième fois au visage), tu es plus coupable que beaucoup de criminels de guerre jugés et condamnés à Nuremberg, et qui ne faisaient qu'exécuter les ordres.

— Mais coupable de quoi ? demandé-je sur le ton de la plus vive imploration pendant que sa main s'active du côté de mes attributs masculins.

— Coupable de tout, de rien ! Ne sens-tu pas que tu es raciste ? Cela ne se prouve pas par A + B. On naît raciste, comme on naît poète. Et quand on naît Québécois francophone... — Ce que tu es gros, mon chéri ! On dirait un Noir...

Elle délaisse alors les sujets politiques pour des activités plus corporelles et, avec beaucoup de dextérité, m'amène au bord de l'extase. Mais, juste au moment de déclencher les grands émois, elle me repousse et dit :

— Non seulement il est raciste, mais c'est un vrai macho ! Il considère la femme comme le vil instrument de sa jouissance !

Cette interruption me met les larmes aux yeux. Puis je prends conscience de mon indécence, en face de cette femme à la tenue irréprochable, et, rouge de honte, je rajuste mes vêtements.

— Vous, les Québécois, poursuit-elle, vous ne pensez qu'à ça. L'orgasme est votre seul but dans l'existence.

— C'est vrai, conviens-je, encore tout ébranlé.

— Pendant deux siècles, vous vous êtes multipliés comme des lapins, reproduisant vos tares et vos sales particularismes génétiques, à cause de votre goût immodéré pour la fornication. Tout le jour, vous vous acharniez sur vos lopins de pierre et, le soir venu, vannés, désespérés, vous laissiez l'instinct vous chahuter sur les paillasses, sous l'œil d'une Vierge en trois couleurs et d'un Christ en croix, achetés à crédit. Cochons !

— Oui, je suis un cochon, nous sommes des cochons, admets-je avec un sincère repentir.

— C'est bien la preuve de votre racisme, ajoute-t-elle.

— Oui, c'en est la preuve.

— L'holocauste, ça vous excite, avoue-le.

— Oui… oui. Je l'avoue.

— Tu es fier, dans le fond, que votre chanoine en ait eu l'idée le premier et qu'il l'ait communiquée à Hitler, par l'intermédiaire du Vatican.

– Très fier, très fier…

Mon sens critique ne s'est pas bien remis de l'excitation intense à laquelle j'ai été soumis et qui est restée sans apaisement, condamnée à une douloureuse résorption.

Ici encore, elle me crache au visage puis elle conclut notre entretien par ces paroles pleines d'aménité :

– Mon chéri, tu as peut-être faim car voilà bien trente heures que tu n'as mangé, mais tu te rends compte, n'est-ce pas, qu'il te faut mériter ta pitance ; nous ne sommes pas là pour te nourrir à ne rien faire. Or, depuis ton arrivée, tu ne fais rien du tout, tu passes ton temps sur ce lit pour éviter de profaner les feuilles d'érable du tapis et c'est très bien, je ne t'en fais pas reproche. D'ailleurs, à quoi cela servirait-il ? Tu n'en fais qu'à ta tête, comme tous les racistes de ton ignoble petit peuple. Tu n'es pas le premier, tu sais, et tu ne seras pas le dernier à passer par cette chambre, nous en avons vu bien d'autres, mets ça dans ta sale petite tête ! Bon, alors, quand tu seras plus raisonnable, je t'apporterai à manger, mais d'ici là, réfléchis à ce que je t'ai dit. Ne me mets pas dans l'obligation de répéter avec toi notre petite scène de flagellation, tu te souviens ? Je suis une femme douce, moi, et je n'aime pas administrer les corrections, même à des cochons de ton espèce.

Elle me fait un grand sourire et me quitte.

6

J'ai très faim. Je n'ai rien absorbé depuis quarante-huit heures, à part un peu d'eau tiède qui traîne dans la chambre depuis plusieurs jours peut-être. Elle pue le marais. J'en bois le moins possible. La dysenterie me compliquerait beaucoup l'existence.

Jusqu'ici, je croyais facile de passer d'une culture à une autre (et quelle autre : l'Autre !). Mais non ; il me faut dépouiller le vieil homme, faire peau neuve. Les épreuves auxquelles on m'astreint ont une nécessité, j'en suis persuadé. Cette nécessité m'échappe, mais qui suis-je pour en juger ? Il me faut changer, et quand je serai différent, je verrai tout d'un bon œil.

Je comprends, maintenant, qu'il ne suffit pas que je me rallie, même avec enthousiasme, à l'Homme et à la Langue pour être dans le droit chemin. Il faut vraiment que je tue mon passé, que je fasse comme si jamais je n'avais espéré que le Québec devienne un jour un pays véritable. C'est cela qui me pourrit, cette foi abjecte dans un pays à moi. Ce qui fait la grandeur du Canada, c'est qu'il est, pour tous ses habitants, le pays des autres. Il l'est pour les autochtones, pour les immigrants doukhobors, ukrainiens, chinois, japonais, mennonites, tous ceux que le désir du lucre ou le délire d'un chef ont conduit près d'un ruisseau dans la prairie, bénissant Dieu ou le maudissant. Il l'est pour les marchands et les soldats britanniques qui, depuis plus de deux siècles, restent fidèles aux majestés anachroniques et règnent en leur nom. Il l'est pour les débris de l'empire français, qui ont depuis longtemps sombré dans l'ilotisme. De cette disparate, une grâce est née. C'est l'aliénante aliénation, la pure. Elle m'aime, me mène à moi-même, c'est-à-dire à rien, à tout. Elle me fait me regarder comme le dernier des déchets, chargé des crimes de l'Histoire. Le Christ portait sur ses épaules tous les péchés du monde, mais pour les racheter. Ordure sur la croix, des enfers il remontait Dieu. Moi, je suis moi et toute l'infamie pèse sur ma carcasse sans m'agrandir. Je dure, perdure. Ma langue maternelle est niaise et compliquée, propice aux fautes d'orthographe, de grammaire, d'emploi et de raison. Il n'y a qu'une langue (la Langue!) capable de donner un sens à la vie, car elle éponge tous les coins d'ombre, astique tous les potentiels, stimule les dispositions héroïques aux différents étages de la morphologie humaine. Ainsi, je suis infâme, mais c'est la Langue qui ressuscite en moi et me fait, me fera autre. Je ne serai plus québécois, mais canadien. Ce sera le salut car j'aurai oublié l'ignoble chemin de la croix

qui m'a mené jusqu'à moi. Je serai *I*, *Hi !*, *high*. Et
eye. Ce phonème étonnant n'existe pas en français.
Il est l'aboutissement du long effort des siècles, le
son de l'avenir. On le prononce simultanément
par la bouche et par le nez, toujours dans une
grande effusion souriante. C'est le plus beau phonème de la terre. Sa teneur en spiritualité tient à la
fois à la quantité de souffle que requiert son
émission et à la direction imprimée à ce souffle,
dont une partie emprunte nécessairement les
voies nasales, qui sont les voies supérieures. Le
salut par le nez.

L'homme du troisième millénaire évoluera
anatomiquement en fonction de son nez, qui fera
de plus en plus office de pavillon, tant auditif que
phonateur. Sous l'impulsion du *I*, le nez acquerra
un pouvoir de vibration qui en fera l'organe
privilégié pour la parole. D'autre part, sa sensibilité
accrue permettra la détection des plus fins mouvements d'opinion et alimentera directement la
réflexion de l'intellectuel. Parler du nez sera une
vertu. On dénoncera l'indigence sonore des voix
de bouche, appropriées aux cultures les plus dé-
crépites. En France par exemple, depuis Descartes,
on prend du recul devant les faits ; on les passe et
repasse au laminoir du cerveau, et quand on les a
réduits en chair à penser on émet, dans une
profusion de *euuuuuu…*, *euuuuuu…*, d'une voix
sérieuse et un peu bigle, des considérations qui
n'ont plus rien à voir avec la réalité. Voilà des
propos de bouche, et l'on y chercherait en vain
quelque trace de flair. Cela sonne à l'égal de la

cogitation la plus inepte. (Cogiter est inepte.) Le phonème *eu*, qui émaille cette énonciation, est le contraire caverneux du spirituel *I* qui porte et exhausse vers l'idéal le langage des Hommes.

Le Québec (francophone) a vécu longtemps dans une sorte de fascination, voisine de la terreur, à l'égard du son *eu*, vestige de ses lointaines origines. Le passage à la Langue représente par conséquent une libération, obscurément souhaitée, mais hélas ! longtemps combattue, par rapport à un langage qui privilégiait sottement la bouche et son antichambre, la gorge. Sans doute la joualisation a-t-elle atténué la fonctionnalité de ces organes en rapprochant la parole de ses deux contigus symétriques, le cri et le silence. L'éruption problématique du signe langagier au centre du faciès québécois (francophone) est un phénomène toujours étonnant, qui relève autant de la linguistique que de la zoologie. Le langage des baleines est d'une belle limpidité à côté de l'ordinaire expression de l'âme laurentienne. Aussi, quelle joie mes compatriotes ne ressentent-ils pas quand ils accèdent enfin au langage articulé ! Parler la Langue représente pour eux, dans l'ordre des choses de l'esprit, l'équivalent de ce que fut la verticalisation pour l'espèce humaine. Passer du *eu* ou de ses variantes hennissantes au *I*, c'est sauter à pieds joints de la caverne à la fusée, du passé au futur, de l'autodépréciation à l'émerveillement qui vous donne la Lune, comme un point sur un *i*.

* * *

La faim aidant, je me sens dans un état proche de l'agonie, à la veille de renaître dans une autre Langue et une autre personnalité. Et, comme dans toute agonie, je revois en coup de vent ma vie de francophone sur le point de prendre fin. Ce fut une vie lamentable à tous égards. Je pense en particulier à mes nombreux efforts pour apprendre un idiome en porte-à-faux sur la réalité, qui me servait tout au plus à m'isoler dans les tristes méandres de mon intériorité, notamment spirituelle.

Pendant toute mon enfance, je fus très pieux et rabotai mes genoux avec ferveur sur les prie-Dieu d'église ou les planchers de bois franc. De ma conscience s'élevaient vers le ciel des marmonnements mystiques, salutations à Marie pleine et grasse, credos, paters, glorias si mal traduits qu'il fallut, après la Révolution douillette et Vatican II, en chambarder la formulation. Dieu devint tutoyable, et le mot *quotidien*, issu du latin, fut trouvé pédant. *Ainsi soit-il*, en revanche, devint *Amen* qui, en fin de prière, rend un son exotique et plein de mystère. Les milliers de chapelets que j'égrenai, entre quatre et quinze ans, se trouvent donc dévalués pour vices de forme et ne peuvent contribuer que médiocrement à mon salut éternel. Eh bien ! tant mieux, puisque je sais maintenant que mon salut est sur la terre et qu'il s'appelle Canada. Il s'appelle aussi U.S.A. et, dans un acte d'amour qui atteint l'intensité des grandes perversions, je l'appelle CANUSA.

Je suis né francophone et catholique, j'ai vécu Québécois et fictif, je meurs Canusien et content.

Au cours de ma vie, j'aurai connu le résumé de plusieurs âges du monde. Mon passé trempe vraiment dans une société théocentrique, où le devoir et les mérites avaient autant de poids que le pain quotidien. Puis j'ai connu l'abondance trompeuse ainsi que l'illusion d'appartenir à un petit peuple distinct comportant une part raisonnable d'avenir. Ce n'était que l'effet de quelques bombes – un feu de paille. En trente ans, le Québec a vécu toute une vie de peuple, par procuration du reste, en se prenant pour l'Algérie, Cuba et quelques autres pays intéressants. Mais laïcisé, post-industrialisé sans même avoir procédé au développement de son secteur secondaire, il vivait de folles épousailles avec un destin de big bang et de baby-boom. Il crut possible d'accéder à l'Histoire en français, mais l'Histoire est finie, le ciel commence et il parle canusien : la Langue, celle de nos vrais espoirs et de la merveilleuse banqueroute universelle qui inaugure le troisième millénaire. Car l'avenir commence toujours par une catastrophe, histoire (histoire !) de marquer ses distances par rapport à un présent déjà gros de calamités. On sait ce que le présent comporte de promesses d'effondrement : la Dette, le Déficit, le chapelet des Récessions, le Chômage débridé, le Travail aberrant, le cancer de l'Immigration, la disqualification générale des idéologies, traditions, valeurs, et le reste (prostitution féminine et masculine, drogue, criminalité, itinérance, sida, suicide, démoralisation, dépression…). Ce tableau fin de siècle, fin de millénaire, est certainement lié à l'odieuse persistance dans le monde des valeurs nationales et du racisme, et c'est au Québec que ces forces obscurantistes sont le plus exacerbées, comme l'a reconnu la communauté internationale. Le Québec, on le sait, fut longtemps un exterminateur de blanchons, et un cri monte des banquises vers le ciel pour réclamer vengeance. Puis le Québec s'en est pris aux Amérindiens, qu'il a voulu priver de légitimes gagne-pain comme la contrebande des cigarettes et les jeux de hasard. Enfin, il s'en est pris aux allophones qu'il a empêchés de s'exprimer dans la langue de leur choix : la Langue. Tous ces crimes contre la nature et l'humanité reçoivent maintenant leur juste rétribution. Les mesures adoptées par le gouvernement de Claude Ryan et de Robert Bourassa, après l'échec du lac Meech et de l'entente de Charlottetown (timides tentatives pour mettre au pas le Québec), sont une contribution décisive en vue de la liquidation des actifs culturels du passé, et pour l'affirmation des valeurs de la Langue et de l'Homme. On peut maintenant espérer une rapide et totale assimilation de la population francophone et, en conséquence, l'établissement d'un gouvernement central fort, capable de travailler main dans la main avec les États-Unis et de réaliser la grande aurore canusienne. Une ère de bonheur, de paix et de prospérité sans précédent s'annonce au terme de l'avalement du Québec par le Canada et du Canada par les États-Unis ; on verra alors fondre la Dette et renaître, comme un soleil, la moralité publique et privée. Mes compatriotes, réduits à la misère par

leur entêtement à agiter en l'air le drapeau fleur-
delisé, apprendront de nouveau le sens du travail
et se remettront, petoum petoum, à gagner leur vie,
faire de l'argent, le dépenser, affronter la compé-
tition nord-américaine et mondiale, inspirer confiance aux maisons qui décernent les cotes de
crédit, brasser des affaires, regarder vers l'avenir,
élaborer un nouveau projet de société, effacer les
stériles différences de culture et d'ethnie qui
retardent la réalisation du grand rêve canusien.

Cela dit, depuis maintenant deux jours je suis
plongé dans la solitude la plus totale et la faim fait
en moi des ravages. Elle opère, de l'intérieur de
mon corps, une espèce de succion autour de mon
squelette qui entraîne un tassement des chairs,
lequel se traduit à l'extérieur par l'émergence de
certains os et la déroute de la peau. J'avais, jusqu'ici, une peau raisonnablement tendue sur un
appareil de muscles que je qualifierais de normal
et qui seyait bien à un semi-intellectuel non
adepte des stéroïdes anabolisants. Me voici maigre,
et ça pend. Les feuilles d'érable tatouées sur ma
personne ont des allures de folioles au vent. Je
suis une bourrasque déprimée, et les glorieuses
perspectives entrouvertes par ma conversion
suffisent tout juste à maintenir en moi l'espoir.
Certes, je ne retomberai jamais plus dans l'erreur
de ma vie passée, je ne me reprendrai plus à
espérer vivre un jour dans un Québec français et
souverain, mais j'aimerais que mon nouveau parti
pris de réalisme paie, et fasse de moi le petit-
bourgeois ventripotent dont les signes de réussite

sont gravés à même l'apparence. Pour cela, il me faut d'abord fonctionner physiquement, absorber de la matière comestible, la digérer, l'excréter, bref me maintenir en bonne santé tout en contribuant à la transformation de mon milieu. Un Canadien est d'abord un homme qui mange, qui pète, qui accomplit sa vocation politique de consommateur sur cette terre. Je crois comprendre que le jeûne auquel je suis soumis depuis maintenant trois jours a pour but de me purger de toute une vie de mauvaises habitudes culinaires, transmises de génération en génération depuis les minables coloniaux de la Nouvelle-France. Peut-être constitue-t-il aussi une épreuve qualifiante, un rite d'initiation à ma religion nouvelle. Il se pourrait enfin qu'il n'ait pas de signification particulière, et qu'on ne me contraigne au jeûne que par caprice ou par indifférence – comment savoir? C'est cela surtout, l'absence de communication avec mes maîtres, qui me rend ce séjour pénible, malgré la ferveur de mes convictions. Je me sens dans la situation d'un chrétien nouvellement converti qui attend de son Dieu la manifestation de sa présence et, en réponse à ses prières, ne reçoit jamais que de longs messages de silence. Combien de temps lui faudra-t-il pour comprendre que ce silence même, et cette déception, et ce désespoir sont les authentiques manifestations attendues, et qu'il faut simplement apprendre à les décoder? Je me tais.

7

Je me meurs. Je dois bien avoir perdu la moitié de mon poids. Jeune, j'étais mince. Je vivais, comme on dit, sur les nerfs. Je vivais.

Je meurs content, car je connais la vérité. Je sais que les Hommes et les Femmes sont seuls dignes d'amour et de respect, et malgré ma bonne volonté, je n'ai pas su me hausser jusqu'à leur niveau. Il ne dépend pas de soi de bien naître. Ni de parler une excellente Langue. Déjà, j'ai fait de ridicules et vains efforts pour apprendre le français, croyant agir par fierté nationale alors que cette prétendue compétence linguistique m'aliénait à mon peuple et à moi-même. L'apprentissage du français de France, on le sait, est la voie royale qui mène à la marginalisation sociale et même sexuelle. Un homme – un vrai – ne parle pas *comme ça*. La complexion virile est incompatible avec l'application tatillonne qui met en place les phonèmes intégralement réalisés de la langue mère au détriment de l'élan sincère, la saillie joviale et conquérante.

L'homme véritable trouve dans la Langue (anglaise) une forme verbale à sa mesure, dressée tel un *I* vers l'espace de ses accomplissements. La Femme trouve aussi, dans cette expansion verbale du *I* qu'est la Langue, le comblement de son manque libidinal diagnostiqué par Freud. Mais en attendant de se réaliser humainement, spirituellement et sexuellement dans l'espace linguistique canusien, le Québécois et la Québécoise ont la ressource de rester fidèles au joual de leur enfance et de se garder comme la peste de toute francisation, sous peine de voir ramollir puis se dessécher leurs parties les plus chères.

En ce qui me concerne, le mal est fait et j'ai beau me vouer désormais aux vraies valeurs, tout espoir de reverdissement m'a quitté. Mon jeûne forcé a parachevé l'action de nombreuses années d'aberration culturelle. La mort vient à moi comme à l'androgyne primitif, couché pâle sous les draps qui recouvrent son abjecte nudité. L'androgyne, c'est moi. Je suis homme et femme, Québécois et Canusien. Je suis entre deux eaux. Le monde pèse sur moi comme un immense crachat. Je repense souvent à mon hôtesse et aux coups de fouet dont elle m'a gratifié. Le cuir ouvrait ma peau comme un rasoir, cela cuisait. Tout mon ventre et tout mon dos ont été striés et portent à jamais le dessin des fines nervures du végétal emblématique. En ce temps-là, j'étais encore gros et plein de morgue. Je me prenais pour un être humain, et me prêtais seulement à ces sévices que je croyais nécessaires à mon salut. Aujourd'hui, mes côtes saillent

comme si j'étais fait de tôle ondulée, avec un trou
à la place du ventre. Mes bras sont en deux sec-
tions et mes genoux font de drôles de bosses.
Quand je les compte, mes orteils se dérobent. Je
n'arrive plus à les additionner. Je n'ai jamais été
bien beau, mais là !

– Au moins, vous n'avez plus grand-chose de
québécois.

C'est un Homme qui parle. Sa tête flotte au-
dessus de moi, il me regarde bien calmement. Il
m'étudie, ou me constate. Je suis un sujet vivant
– si peu !

Peut-être vient-il voir mes dernières forces me
quitter.

Je veux lui dire ma joie de rétablir une communication avec l'humanité, surtout la sienne – la
déception de me retrouver en présence d'un
compatriote m'aurait tué net. Mais ma bouche
trahit mes sentiments. Je râle :

– J'ai faim.

Dit comme un souffle. Une ride sur l'eau.

Il rit.

– Oui, faim, bien sûr ! On aurait faim à moins !

Je ris avec lui. Il est très compréhensif.

– Seulement, poursuit-il, il ne faut pas vous
faire d'illusion.

– Ah ! bon.

J'accepte. Je ne vois pas très bien, mais il a
raison. Au point où j'en suis ! Je lui pose quand
même la question :

– Croyez-vous que… tôt ou tard… il me sera
possible de me sustenter ?

— Nous verrons cela, mon ami. Pour l'instant, passons aux choses sérieuses. J'exerce la profession de socio-psycho-linguiste.

— Très honoré. (Dieu que j'ai faim !)

— Je rédige une thèse de doctorat sur les motivations individuelles des transferts linguistiques. Je m'intéresse en particulier aux motivations inconscientes, qui se révèlent au moment où le système des mécanismes de défense se trouve neutralisé par un puissant traumatisme ou par une situation de faiblesse extrême, par exemple celle qui précède de peu la mort. Je veux dire : celle qui accompagne le processus agonique irréversible menant à la mort. Me comprenez-vous bien ?

— Oui, oui, je… C'est clair.

— Je vais donc vous poser quelques questions, en vous priant d'y répondre sans y réfléchir. Ce ne sera d'ailleurs pas très difficile, vu vos antécédents.

Il n'y a certainement aucune intention blessante dans cette remarque, mais plutôt le désir de marquer la confiance qu'il me témoigne en s'ouvrant de son sentiment à mon endroit. Mon distingué interlocuteur se place, du reste, au niveau de l'objectivité scientifique, qui favorise la transparence.

— Première question : aimez-vous l'anglais ?

— L'anglais, docteur (il est manifestement sensible à ce titre, qu'il n'a pas encore mérité : peut-être même me le devra-t-il ?), c'est la Langue. Toutes les autres qui se parlent ne sont que des idiomes. Le monde n'a existé que pour que la Langue soit. Elle seule peut mettre la Terre en communication avec le reste de l'univers. Elle seule conserve l'énergie du big bang, et la répercute vers l'avenir des amas d'amas d'amas de galaxies.

— Fort bien ! Votre délire est tout à fait caractéristique des cultures décadentes.

C'est un homme plutôt petit, musclé, chauve. Sa face carrée est barrée par une moustache. Il doit avoir trente-cinq ans. Son poil est très noir et ses avant-bras en sont couverts, jusque sur les phalangines. Il est bronzé et semble rayonnant de santé, dispos, bien nourri. Bien nourri.

— Et le français, qu'en pensez-vous ?

Mes forces sont à peine suffisantes pour matérialiser mon haut-le-cœur.

— Je vomis cette langue putride, perverse, tout juste bonne à formuler des états d'âme ! Que ça pue, l'âme, que ça pue !

— Ça va. Gardez vos forces pour les questions qui viennent.

Il semble, jusqu'ici, très satisfait de moi. Si je réponds convenablement à son questionnaire, il me récompensera par de la nourriture et je pourrai retrouver l'usage de moi-même.

— Voulez-vous vraiment passer du français à l'anglais ?

— Si je le veux ! Je donnerais un bras pour ne plus jamais entendre un mot de cette langue abominable.

— Êtes-vous bien conscient de ce que représente un tel transfert linguistique ?

— Oui : le plus grand bonheur de mon existence.

— Et la trahison ?

— Quoi ?

— Je dis : la trahison.

— La trahison de qui ? Tout mon peuple veut, comme moi, oublier son passé ridicule et accéder enfin à la maturité linguistique et financière.

— Il n'empêche : qu'elle soit individuelle ou collective, la renonciation à la culture d'origine est une trahison.

— Eh bien ! soit : trahissons ! Trahir le Québec (francophone), c'est trahir l'insignifiance et l'illusion. Je choisis la vérité.

— Mais un traître, quels que soient ses motifs, est une ordure. Or nous, nous n'avons que faire des ordures. Ceux qui ont trahi une fois peuvent trahir une autre fois. Ils feront toujours de mauvais serviteurs.

— À ce compte-là, aucune conversion ne serait jamais possible.

— Et qui vous dit que les conversions sont possibles ?

— Je dis que je veux être un Homme, c'est tout.

— Mais on *naît* Homme. On ne le devient pas. Regardez.

Abruptement, il baisse son pantalon et exhibe la preuve vivante de son authenticité. Dans l'état de faiblesse où je suis, je ne puis supporter cette vue et je m'effondre en pleurs. Tranquillement, il se reculotte.

— Voyez, conclut-il, je suis complet.

En effet, le membre de l'Homme n'a rien à voir avec celui du Québécois. Ce n'est pas une affaire de volume, de forme ou de densité. La matière n'y est pour rien. Mais le membre de l'Homme a une âme. De là une virilité scintillante, sans rien d'animal.

— On dirait que votre sexe parle, bredouillé-je.

— Il dit, en effet, quelques mots : *I, Hi !, high, eye...*

Il semble très fier de son appendice. Quant à moi, je suis complètement démoralisé. Comment pourrais-je prétendre à la dignité canusienne ? Mes parties ont beau avoir du style (ou plutôt, elles en *avaient*, avant le jeûne éprouvant auquel on m'a soumis), elles n'ont pas cette allure de totalité qui, paradoxalement, caractérise les parties de mon vis-à-vis.

— Bon, dépêchons. Vous pleurerez plus tard. Notre interrogatoire piétine. Je vous pose une dernière fois la question : êtes-vous un traître, oui ou non ?

— Tout dépend de la définition que...

— Répondez par « oui » ou par « non ».

— Oui...

— Dites : « Je suis un traître. »

— Je suis un traître.

— Et vous reconnaissez trahir, en ce moment même, les êtres les plus chers, vos vieux parents, votre compagne, les amis dont vous êtes le plus proche ? Vous n'avez aucun regret d'eux ?

— J'ai brûlé ma maison et, en la brûlant, je regrettais qu'ils ne flambent pas avec elle.

— Vous êtes un monstre !

— Oui. Et pourtant, mon naturel est doux. Mais mon passé m'a à ce point dégoûté de moi-même

que je ferais tout pour mériter la clémence de mes
maîtres.

— Vous croyez attiser notre bienveillance par
des sentiments si odieux ?

— Je veux plaire à tout prix. Je suis vil. J'aime la
Langue. L'Homme et la Femme sont pour moi des
phares, ils éclairent ma nuit. Je me tuerais pour
qu'ils soient contents de moi.

— Voilà une attitude suicidaire, ou je ne m'y
connais pas.

— En effet : il n'en tient qu'à vous…

— N'avez-vous pas affirmé, tout à l'heure, que
vous donneriez votre bras pour ne plus entendre
un mot de français ?

— Je donnerais mon bras et plus encore.

— Lequel ?

— Plaît-il ?

— Le bras gauche ou le bras droit ?

— Qu'importe ?

— En effet. Donnez-moi le gauche.

De son pantalon, il sort un couteau de poche de
dimension moyenne et en assujettit la lame.

— Elle n'est pas bien aiguisée, mais cela fera
l'affaire.

Il se met à l'œuvre, m'entaillant l'épaule, et je ne
me souviens plus de rien. L'os s'est mal fracturé car
il frotte en crissant contre le nylon de ma chemise.
Remis de mon évanouissement, j'éprouve surtout
le regret de m'éloigner de l'idéal de la beauté
grecque (malgré l'exemple de la Vénus de Milo).
Le manchot doit compenser son déséquilibre mor-
phologique par le recentrement de ses dispositions

charmeuses. Le charme, ce n'est pas mon fort, mais
tant pis.

— Si vous tenez à vivre, me dit mon hôte réins-
tallé à mon chevet, n'allez pas dire : je donnerais
ma vie pour ceci ou pour cela. On pourrait vous
prendre au mot. En Canusa, nous tendons à sup-
primer l'écart entre la parole et l'action.

— Qu'avez-vous fait, demandé-je faiblement, de
ce morceau que vous avez prélevé sur moi ?

— Votre bras ?

— Tout juste.

— Que vous importe ?

— Vous savez, j'ai si faim… !

— Berk ! Le cœur me lève ! Anthropophage ! Et
narcisse, en plus ! Ciel ! Le métier que je fais est bien
éprouvant. Je commence à croire tout ce qu'on nous
a enseigné sur vous, les Québécois francophones.
Vous êtes bien pires que les sauvages. Eux sont
cruels naturellement. Leur férocité a quelque chose
de sportif. Mais vous ! Toutes les perversions vous
gangrènent. Votre faiblesse ontologique vous expose
aux pires dépravations. Il est vrai que vos ancêtres
étaient des repris de justice et des prostituées. Adam
bandit et Ève couche-toi-là ! C'est le péché qui vous a
multipliés, au-delà de toute vraisemblance. Et vous
voudriez devenir des Hommes et des Femmes,
parler la Langue de gens civilisés ? Je le répète : vous
n'arrivez pas à la cheville d'un Mohawk. Eux, au
moins, ils ont la fierté. Et il y a longtemps qu'ils ont
abandonné le cannibalisme.

Il a beau dire, je reste avec le regret de mon bras
tiède, qui m'aurait prolongé un peu. Le ciel est vert,

je vois des éclairs mous. Non, c'est la chambre. Elle est blanche, mais la couleur de mes yeux s'échappe, déteint sur les murs. J'avais les yeux verts. La lumière s'agglutine en boudins, rissole. Lui – mon hôte – flotte plus que jamais, dans sa tenue distinguée. Il porte un pantalon chocolat et une chemise violacée à manches courtes. Sous son pantalon, tout un appareil clignote. Il est diantrement monté, le bipède. Et il a ses deux bras et tous ses yeux. Ce que j'éprouve, à l'égard de son poil bien noir, commence à ressembler à de l'amour. Près de la mort, je n'arrive plus à maintenir l'orientation sexuelle rigide qu'on m'a inculquée en bas âge. Pour un peu, j'entrerais en émulsion. Hélas ! Cette loque, mon corps, ne suivrait pas. Finies les joies anecdotiques. Je dois me contenter de chérir mon vis-à-vis.

— Où en étions-nous ? Ah ! oui… Je voudrais aborder la question de vos motivations. Commençons par la faim.

— La fin ?

— La faim, f-a-i-m. Elle est un des auxiliaires les plus puissants de l'idéologie dans le monde. En général, une population affamée est très réceptive à l'égard des ingérences étrangères, surtout quand elles sont assorties d'un propos humanitaire. C'est ainsi que la Russie, en 1917, s'est laissé imposer un système politique d'inspiration allemande par un intellectuel qui avait vécu plusieurs années en exil. Quinze ans plus tard, l'Allemagne s'est livrée pieds et poings liés à un Autrichien, fils de douanier. Plus d'un siècle auparavant, la France avait commis le soin de sa destinée à un Corse qui, soit dit en passant, lui fit avaler plus de poudre à canon que de farine.

— Comme je comprends ces peuples ! *Primo vivere*, n'est-ce pas ? Il y a des moments où un morceau de pain semble préférable à tout.

— Je reconnais bien là votre nature. Vous êtes de la pâte dont on fait les esclaves.

— Oui, et je ne demande qu'à vous rendre les plus humiliants services. Je veux être foulé sous vos pieds, noyé sous vos crachats. Je vous lécherai les chevilles, les genoux, tout ce que vous voudrez. Mais encore devez-vous m'en donner les moyens.

— Vous ne pensez qu'à vivre.

— Oui, pour parler la Langue et célébrer l'Homme.

— Et la Femme ?

— Aussi.

— Cette femme qui vous a fouetté, l'aimez-vous ?

— Elle était nue ; elle était rose et transcendante. Ses seins, organisés tout en rond autour des aréoles, tremblaient à peine dans l'effort. Quant à son sexe, je serais mort de l'embrasser. Voilà. Elle était si forte ! Et pourtant, une langueur baignait ses membres. Son regard, sous les mèches régulièrement désordonnées de sa chevelure, respirait une agréable neutralité. Elle ne m'en voulait pas.

— Elle vous aurait tué sans hésiter.

— Elle ne l'a pas fait.

— Les tatouages sur votre corps n'ont aucune nécessité. Elle les a faits pour se moquer.

— Quelles que soient ses intentions, elle a fait apparaître sur mon corps l'emblème qui remplit et mon cœur et mon âme. Je suis à tout jamais marqué, au dedans comme au dehors. Je suis unifolié pour la vie.

— Il est dommage, au fait, qu'un si beau symbole aboutisse sur une telle carcasse. Tenez-vous seulement debout?

Il souffle sur moi, pour s'en assurer. Je résiste. Il souffle encore et je fléchis les genoux.

— Quelle pitié!

Je pense à la « Chanson d'automne », de Verlaine:

> *Et je m'en vais*
> *Au vent mauvais*
> *Qui m'emporte*
> *Deçà, delà,*
> *Pareil à la*
> *Feuille morte.*

Quand j'étais francophone, j'apprenais des vers et me les récitais.

— Pour revenir à la question, me dit-il, dans quelle mesure la faim vous pousse-t-elle à la trahison?

— Je vous ferai remarquer, monsieur, que la faim est une donnée récente dans ma vie. Jamais, au grand jamais, depuis ma naissance lointaine, n'en ai-je éprouvé les affres. C'est depuis mon arrivée ici que j'en fais l'expérience; laquelle est, je crois, nécessaire à mon salut.

— Donc, l'origine de votre trahison n'est pas dans la privation de nourriture.

— Nullement.

— Mais la faim que vous éprouvez depuis quelques jours ne constitue pas un empêchement au désir de trahir.

— Mes yeux sont dessillés. Rien ne peut m'empêcher d'aimer la vérité et d'y tendre.

— On peut donc affirmer que la faim contribue à l'affermissement de votre besoin.

— Un peu de nourriture ferait tout aussi bien l'affaire…

— Quelle obsession! Je veux simplement vous faire dire que, même si la faim n'inspire pas votre trahison, du moins pas au début, elle aurait pu le faire puisque, maintenant, elle est un facteur non négligeable qui vous pousse à la fourberie. Êtes-vous d'accord?

— C'est-à-dire…

Il approche de moi sa face carrée. Ses yeux sont tout ronds et exempts d'aménité. Je pourrais compter les poils qui sortent de ses narines.

— Ce point est crucial pour ce qui a trait au progrès de ma réflexion. Si vous n'avez pas d'objection flagrante à la proposition que je viens d'énoncer, dites : « Je suis d'accord. » Dites-le!

— Je… je suis d'accord.

— Fort bien. Je suis maintenant assuré de terminer le troisième chapitre de ma thèse, l'un des plus importants. Il justifiera rétroactivement l'épreuve que nous vous faisons subir et qui devrait prendre fin dès que…

Au lieu d'achever sa phrase, il fait un petit geste évasif, rougit, puis me regarde de nouveau avec dureté.

— À vous en croire, vous les francophones, nous serions de véritables bourreaux à votre endroit !

Là-dessus je ris, ou du moins je souris, les forces me manquant pour mieux faire.

— Mes compatriotes, dis-je, ont la manie de l'exagération.

— Comment ! Vous parlez d'exagération, comme s'il y avait le moindre fondement à cette accusation !

— En effet. Excusez-moi. Il s'agit plutôt de contre-vérité puisque les bourreaux, c'est nous.

— Voilà. Ce qui nous amène à un autre point du questionnaire. Vous devez, maintenant, confesser tous vos manquements aux droits de l'Homme, depuis votre naissance, sans en oublier un seul.

— Eh ! bien… mon premier manquement grave se situe environ un an après ma naissance. Depuis plusieurs jours, mes parents me harcelaient, me cuisinaient presque pour m'extorquer un son articulé. Et alors, un soir que j'avais trop déféqué et qu'on changeait ma couche en me rudoyant, je lançai désespérément un son plein de m, où l'on crut déceler le mot *maman*, en français.

— « *Maman* » !

— Oui. Je n'ai pas même eu le réflexe de le faire suivre du mot *Mommy*, tellement plus humain ! J'aurais aimé que mon premier mot fût bilingue, puisque mon entourage me tirait tant du côté français. « Maman, *Mommy* ». Aujourd'hui, dans les commerces, on me parle anglais ou dans les deux langues. Et quand je reçois la monnaie, je dis humblement : « Merci, *thank you.* » Ou mieux : « *Thank you* », tout simplement.

— Le bilinguisme est une phase transitoire.

— Un jour, il n'y aura plus que la Langue. Les idiomes pré-hominiens auront disparu, comme autant de bavures de l'Histoire.

— Votre premier mot fut donc un mot abject.

— Oui. Le contexte, du reste, s'y prêtait. Une odeur suffocante s'élevait de mes langes. En français, savez-vous, le mot *mère* est très près du mot *merde.*

— Quelle langue de tarés ! Chez nous, *mother* rime avec *murder.* C'est plus sain.

Cette plaisanterie introduisit un ton plus enjoué dans notre conversation. Je poursuivis l'énumération de mes innombrables fautes.

— Vers trois ans, j'accompagnai ma mère au centre-ville. Elle fit le tour des grands magasins, à la recherche de je ne sais plus quoi. Au square Phillips, il y avait un gamin, seul, à peine plus vieux que moi. Il avait les yeux très bleus et les cheveux carotte. Son visage et ses bras étaient couverts d'éphélides. Dès qu'il me vit, il se mit à m'injurier, me traitant de *stupid frog,* de *pea soup* et de *French Canadian.* Au lieu d'affronter la situation avec philosophie et d'en tirer le meilleur parti pour mon amendement, je montrai le poing à l'Enfant et le traitai de *square head.* Ma mère me disputa vivement devant l'Enfant qui triomphait et elle

m'entraîna plus loin. Jamais, me confia-t-elle plus
tard, je ne lui avais fait honte à ce point. Aujour-
d'hui, je la comprends pleinement. Mais pourquoi,
diable, m'avait-elle donné la vie en français?

– En effet, dit mon hôte. Pour reprendre une
façon de parler pittoresque de votre petit peuple,
on peut dire que «ce n'est pas un cadeau».

– Ah! Je voudrais tellement quitter cette vie
dans le grand style! Croyez-vous que je puisse
éprouver, ne serait-ce qu'un instant, le bonheur
d'être autre, dans les limites de cette existence?

– Une chose est certaine, mon ami: vous ne
moisirez pas longtemps dans cette chambre.
Depuis l'adoption de la loi Ryan, nombreux sont
ceux qui, comme vous, ont choisi de faire le grand
saut. Aussi, je vous prie d'accélérer le rythme de
vos confidences.

Il me fallut plusieurs heures, cependant, pour
faire le tour de mes perlocutions (*speech acts*)
françaises, qui constituaient autant d'agressions, le
plus souvent involontaires, mais d'autant plus
pernicieuses, contre la dignité humaine. Ce vaste
bilan de mes turpitudes me permit de constater
l'énormité de la faute dont le Québec (francophone) s'était rendu coupable à l'égard de l'humanité. Nous avions empêché des marchands pleins
d'idéal, nés et élevés dans la Langue et dans le
respect de leurs propres droits, d'exprimer avec
leurs mots le prix des marchandises que d'in-
dignes clients venaient quémander dans leur vil
idiome. Jamais, dans les temps les plus sombres de
l'Histoire, tant les guerres puniques que les géno-

cides médiévaux ou contemporains, n'a-t-on
manifesté autant de cynisme à l'égard des plus
hautes valeurs, en particulier les Affaires qui,
depuis la mort de Dieu, ont détrôné la religion et
la culture et s'imposent comme le seul recours
dans un monde privé de lumière. Du reste,
comment les valeurs ne seraient-elles pas, d'abord
et avant tout, les valeurs marchandes? Et comment
n'y aurait-il pas une Langue des Affaires, la
Langue, reconnue jusqu'aux confins des plus
lointaines galaxies? L'univers s'ordonne autour de
la transcendance canusienne qui, tel le pendule de
Foucault, pointe vers le centre de la Totalité. *I*! *Hi*!
High! *Eye*! *Heil*! Aïe! Ryan! Le phonème *I* est
présent partout où ça compte. Finie la grande
illusion du petit peuple français en Amérique. Il
faut maintenant se mettre au pas du réel. Le réel
dit: *I*!

Point final!

Cet ouvrage
composé en Post Mediaeval corps 10,5
a été achevé d'imprimer
en février deux mille deux
sur les presses de

Cap-Saint-Ignace (Québec).